YUSUF ATILGAN

Aylak Adam

Roman

YKY
Yapı Kredi Yayınları

Yapı Kredi Yayınları -1398
Edebiyat - 379

Aylak Adam / Yusuf Atılgan

Kitap editörü: Murat Yalçın

Kapak tasarımı: Nahide Dikel

Baskı: Mas Matbaacılık A.Ş.
Hamidiye Mah. Soğuksu Cad. No: 3 Kağıthane-İstanbul
Telefon: (0 212) 294 10 00 e-posta: info@masmat.com.tr
Sertifika No: 12055

1. baskı: Varlık Yayınları, İstanbul, 1959
2. baskı: Bilgi Yayınevi, Ankara, 1974
3. baskı: İletişim Yayınları, İstanbul, 1985
YKY'de 1. baskı: İstanbul, Ekim 2000
24. baskı: İstanbul, Temmuz 2011
ISBN 978-975-08-0244-6

Yapı Kredi Kültür Sanat Yayıncılık Ticaret ve Sanayi A.Ş.
Yapı Kredi Kültür Merkezi
İstiklal Caddesi No. 161 Beyoğlu 34433 İstanbul
Telefon: (0 212) 252 47 00 (pbx) Faks: (0 212) 293 07 23
http://www.ykykultur.com.tr
e-posta: ykykultur@ykykultur.com.tr
İnternet satış adresi: http://alisveris.yapikredi.com.tr

İÇİNDEKİLER

KIŞ

1

Mufassal kıssa başlarsın garip efsane söylersin

Bâkî

Birden kaldırımlardan taşan kalabalıkta onun da olabileceği aklıma geldi. İçimdeki sıkıntı eridi. (Bu sıkıntı garsonun yüzündendi. Öyle sanıyordum. Paltomu tutarken yüzünü görmüştüm: Gülmekten değil sırıtmaktan kırışmış, gözleri, ne derler, sırnaşık mı, yok yılışıktı. Para versem eli elime yapışacaktı. Vermedim.) Çevreme ilgiyle baktım. Erkekler yeni tıraş olmuşlar, kadınlar yeni boyanmışlardı. Yüzleri tasasızdı. Caminin dirseğindeki bacakları kesik dilenci, soğuktan morarmış, çorapsız gazeteci çocuk bile öyleydiler. Sanki onu tanıyormuşum, görsem bilecekmişim gibi bakıyordum geçenlere. Bu gece bencildim. Kendi kendime kızdım. Oysa onu bu caddeye pek seyrek gönderirdim: Binde bir, güzel bir filmi görsün diye. Önlerde bir yere oturur, yanağı avcuna dayalı filmi seyreder, tam beni düşünmesini istediğim zaman beni düşünürdü. Film bitince eve yürüyerek dönerdi.

Kalabalıkla ilgim kesiliverdi. Yine lök gibi oturdu içime o deminki sıkıntı. Bu kere garsonun yüzünden değildi. Biliyordum. İlerde locaları derin sinemanın önünde müşteri beklediğini bildiğim şaşı kadının bende uyandıracağı tiksintiyle karışık acımayı düşünür düşünmez döndüğüm yan sokakta –o geceki sokaktı bu– bir yaralı kendine güven duygusuyla ağırlaşmış olarak geldi. Bir ay önce biri siyah bıyıklı iki terziden –niye terzi? Bilmiyorum– dayak yediğim gece de aynı sebepten aynı sokağa dönmüştüm. Belki bir ek-sebep de vardı. Ona bir yardımda bulunmam gerektiği, bu yardımın onun iş gururunu incitmemesi bahanesinin ardında gizli, o derin localardan birine onunla girmek isteğinden korkuyordum. Şaşı kadın karmaşık yollardan bana Zehra teyzemi getiriyordu. Dizinde yatarken yalnız benim bildiğim kokuyla dolu, kimi duran, kimi kıpırdayan dudaklarına bakardım. Arada eğilir, ben büyük, inanılmaz bir şeyler olacağını beklerken salt burnumun ucunu öperdi. Yüzü bana inerken gözleri şaşılaşırdı.

Bir ay önce yediğim dayağı haketmemiştim ben. Beş gün çenem sarılı –sanki bazı insanlara kendimce bir iş uydurup her sefer yanılmamışım gibi– Beyoğlu'ndaki terzi dükkânlarını dolaşmıştım. Uykulu sokakta beni çökerttikleri yer lambalardan uzak değilmiş, birinin kara bıyıklı olduğundan başka şeyler de biliyormuşum gibi arıyordum onları. Kimse anlamıyordu. Sadık bile, "— Bulacaksın da ne olacak?" diyordu. "— Anlatacam yahu. Haksız olduklarını söyleyecem. Yanlarındaki üçüncü kişiye yapmak istediklerinin umurumda olmadığını, (—Olmaz, eve gidecem ben, demişti üçüncüsü) orada durduysam salt merak ettiğimden durduğumu söyleyecem. O iki terziye..." "— Niye terzi?" "— Bilmiyorum. O iki terziye beni dövmekle haksızlık yaptıklarını anlatacam." "— Sonra?" "— Sonu oradaki duruma bağlı." Sadık başını sallıyor, gülüyordu. Onları aramam gerektiğini anlamıyordu. Beş gün sonra suratım iyileşip sargı atılınca aramayı bıraktım.

Sonra o Rum kızını öptüm. Harbiye'ye yakın caddenin ortası tenhaydı. İki kişiydiler; kol kola gülüşerek geliyorlardı. Yanımdan geçerlerken benden yana olanı tuttum, öptüm. Yüzü soğuktu. Bağrıştılar. Öteki,

— Terbiyesiz, pis sarhoş, dedi.

Kafamı hınçla geriye attım gülerken. Gittiler. Ne yamansınız dökme kalıplarınızla; bir şeyi onlara uydurmadan rahat edemezsiniz. Oysa ben sarhoş falan değildim. Bir bardak şarap içmiştim yemekte. Hem onu öpmemiştim ki soluğumda şarap kokusu duysun. Bir sigara yaktım, yürüdüm.

Hol sıcaktı. Paltomu çıkarırken kaç kere beni yeniden sokağa uğratan o bildik düşünce geldi kafama takıldı. Öptüğüm kız bir şey dememişti. Yoksa o muydu? Niye gitmedim ardından? Ötekini kovup konuşmak için ona döndüğüm zaman, "Sus, biliyorum," diyecekti. Bir haftadır bana akşam yemeklerini aynı lokantada yedirten düşünceydi bu. O geceki kadında oraya uymayan bir şeyler vardı. Yemek yiyenlerin, eşyanın ötesindeydi. Kalktığı zaman garson pilavımı getiriyordu. Kalkmamıştım; başka gece kalkacaktım. Kadın gidince bir yarı-bilginin üzüntüsü geldi bana: Başka gece yoktu. Gelmiyordu. Bu gece de gelmedi. Belki garsonun yüzünü benden bir hafta önce görmüştü.

Sedire oturup radyoyu açtım. Piyano dinlemek istiyordum ama yoktu. Sanki bütün dünya konuşuyor, dans ediyor, operaya gidiyordu.

Şu kutunun içinde bana piyano çalacak birini bulamıyordum. Yalnızdım. Kapadım kalktım. Duvarda "İkindi kahvaltısı" asılıydı: Yapma ışıkta bozluğu daha bir boz, kahredici. Masanın üstünde sigara küllüğü vardı. Biçimsiz. Kim koymuş onu kitapların önüne? Kaptığım gibi pencereden sokağa fırlattım. Kapalıymış, cam kırıldı. Karşı apartmanın yüzünde bir perde kalktı; bir kadın kımıldamadan sokağa baktı. Yoksa o mu? Perde indi. Yoksa her şey ben olmadığım zaman, benim olmadığım yerlerde mi oluyordu?

2

Bu Rumca şarkı yüzünden mi uyandı, yoksa onu uyandıktan sonra mı duydu, bilmiyor. Şarkı söyleyen pastırmacının karısıydı. Yukardakilerin hizmetçisi Eleni evli değil ama ona göre pastırmacının karısıdır. Ayda otuz liraya bazı günler aşağı iner, ortalık süpürür. İki üç yıl sonra evlenecek. Küçücük bir mezeci dükkânı açacaklar. Eleni anlatırken gözleri parlar. Oysa hep o mezeci dükkânında oturacak adama acır. Sarımsak kokusu sinmiştir üstüne. Adam belki duymaz, ama o pastırmadan iğrenir.

Yataktan, kendi ılıklığından ayrılmak istemiyor. Kalkıp odanın tek penceresinden perdeyi çekse, yıllardır ezberlediği, üst üste küçük banyo delikleriyle yandaki apartmanın –o da kendi malı; daha doğrusu babasından kalma– sıvalı duvarını görecek. Gökyüzünü görmek için eğilip yüzünü cama dayaması gerekir. Yağmursuz sabahlar bu bir damla gökyüzü onu şehrin havasını tahminde çok kere yanıltır.

Başını sola çevirdi. Duvarın ortasında Kemal'in "Çıplak"ı asılı. Loşlukta belli belirsiz... Dışarda çıplaklaştırılması kolay bir kadın o anlık çabasının kısıp açtığı bir sesle, süpürgesinin ahengine uymuş şarkı söylüyor. Bu kadın yatağa itivermediği için belki ona şaşıyordur. Bir gün yukardaki avukatın fırsat buldukça arkasına sürtündüğünü anlatmıştı. Ama o yapmıyordu; soymayacaktı kadını. Sağ bacağını büküp dizini kaşıdı. Babasına benzemekten korkuyordu. Çocukluğunda, eski evde sık sık hizmetçi değişirdi. Bazı geceler kesiliveren bağırmalar, fısıltılar, somya gıcırtıları duyardı. Bir gün mutfakta babasını görmüştü: Kopacak gibi gergin, sırtı kamburlaşmış, arkadan kadının kalçalarına sarılmış. Elindeki bardak düşünce doğruluvermişlerdi. Korkunçtular. Babası yürümüş onu tokatlamıştı. On yaşındaydı. Kadınlığı, erkekliği biliyordu. Eskiden beri, belki teyzesi yüzünden, hep iğrenirdi babasından.

Oda kapısı tıkırdadı. Yatağın içinde doğruldu.

— Gel, dedi.

Eleni kapı aralığında durdu.

— İşim bitti. Bir burası var toplanacak.

— Burası kalsın bugün. Temiz daha. Başka yapacağın yoksa gidebilirsin.

— Ne karanlık böyle bu. Perdeyi açayım isterseniz.

Başını salladı. Kadın gitti perdeyi çekti; bir an ışıkta durdu. "Yüzü ne güzel. Kimbilir benimkisi ne boktandır. Uykulu, şiş."

— Sokaktan yana odanın camı kırılmış. Taktırayım mı bugün?

— Tamam. Şu ceketimi versene, dedi. Eleni ceketi getirdi.

— Kaça takarlar camı?

— Bilmiyorum. Altı-yedi lira gider herhalde.

Bir onluk çıkardı iç cebinden, uzattı.

— Üstü senin olsun, dedi. "Mezeci dükkânına yarım kilo sucuk parası." Parayı verirken kadının yüzüne bakmadı ama elini gördü. Canlı, konuşkan bir eldi bu.

Önce oda kapısı kapandı, sonra dış kapı. Terliklerini giydi. Gitti pencereyi açtı. Soğuk. Dışarıya eğilip gökyüzüne baktı. Kurşun rengi, yağmur yağacak bugün. Ceketini giyip ayakyoluna girdi. "Kötü yazarın yasak bölgesi. Neydi o kaldırıp attığım dünkü kitap! Adam sabah kalkıyor, yüzünü yıkıyor, parkta oturuyor, yemek yiyor, sevgilisiyle dolaşıyor, gecenin bir vakti evine gelip yatıyor. Hiç mi çişi gelmedi? İnanılacak şey değil. Parktayken sıkışmış, gövdesi kalın bir ağaca yanaşmış, kimse geliyor mu diye yanına yöresine bakındıktan sonra ağacın dibine işemiştir." Ayakyolundan çıkınca tıraş oldu. Yüzünü yıkadı. Giyindi, çıktı.

Nişantaşı'ndan Maçka'ya tramvayla geldi. İnerken ayağı kaydı. Geceden ıslak taşlar donmuş, kaygan. Yokuş aşağı yürüdü. Çekine çekine basıyor yere. Başında tablası, geç kalmış bir simitçi geçiyordu yanından; durdurdu, bir simit aldı. Kadının biri evinin önünde kilim silkiyordu. O geçerken durdu, sonra yine başladı. "Güzel kadın ama asık yüzlü. Hep asık yüzlü oluruz, ya da sırıtkan." Simit yiyerek yürüyor. Tek tük geçenler dönüp ona bakıyorlar. "Kılığı düzgün bir adamın sokakta simit yemesi yasaktır. Bütün yasaklar gibi bunun da bir kaçamak yolu yok mu? Simidi kır, cebine sok. Tek elinle bir lokma koparıp, kimseye sezdirmeden ağzına at. Ama, ben dişlerim sağlamken ısıracağım."

Manav evinin ardına kadar açık sokak kapısından girerken simit bitti. Bir cıgara yakıp ilk iki katın merdivenlerini tırmandı. Son katın sahanlığında yalnız bir kapı vardı. Kapıyı açıp durdu. Bu aydınlık, büyük odada ellerinde paletleri, sehpaların önünde dikilenler dönüp ona baktılar. Bir "Ooooo!" sesi duyuldu. Sonra bu koku... Birden az önce kararsız sokağa çıkalı beri duymak istediğinin hep bu koku olduğunu anladı. Yağlıboya, beziryağı kokusu...

— Gir de kapa yahu; donduracaksın bizi, diyordu Sadık.

Çok mu durmuştu kapıda? Girdi, kapadı.

— Hepinize merhaba, dedi.

— Merhaba.

Sadık'tan başka iki kız sekiz erkektiler. On öğrenciden fazla çalıştırmazdı Sadık. Beğendiklerini çalıştırırdı yalnız.

— Sabahleyin seni konuşuyorduk, dedi Sadık. Beş gün oldu galiba görünmüyorsun. Dayak yediği terzileri buldu herhalde, beş gündür herifleri dövüyordur diyorduk. Ya da otomobil çarptı, öldürdü. Buna en çok Sami üzüldü. Öldün diye değil, tabiî portresi yarıda kalacak diye. Ne dersin, sonunda en olmayacak ihtimal üstünde anlaştık. Tutmuş bir işe girmiştir, dedik.

— Tamam. Bu gerçeğe dayanarak bir genellemeye gidebiliriz: 'Sanatçının sezgisi yanılmaz.'

Gülerek hep birden konuştular:

— Yalan.

— Yok canım, olmaz bu.

— Fırçalarımın üstüne bahse girerim...

— Alay ediyor.

Sandalyelerden birini her zamanki yerine, pencerenin önüne çekip oturdu.

— Alay falan değil, dedi, dört gün önce bir sokak levhasında 'İki Öksüzler Sokağı' adını okuduğum zaman kendi kendimi bir işe atadım. Şehrin sokak adlarını toplayacak, bunlar üstüne düşünecektim. İspatı burda. (Eliyle defterinin bulunduğu cebi üstüne küt küt vurdu.) Üç gün çalıştım bu işte; dün öğlen bıraktım. Hangi sokağa gitsem ardında hep o bir omuzu düşük adam vardı. Şimdi yine aylakım. (Ayakkaplarına bakıyordu. Kimse konuşmadı.) İçinizde 'İki Öksüzler Sokağı'ndan geçen olmuştur belki ama bilmezsiniz. Çoğu iki katlı, yeni ya da yeni görünen evler. Şarlo'nun 'Easy Street' dediği sokaklardan. Ben 'Eli Paketliler' sokağı diyorum. Komşusunun saygısını yitireceğinden başka sıkıntısı olmayanlar yaşar burda. Ama adı... Kimmiş bu iki öksüz? Adlarını sokağa verdirecek ne yapmışlar, nasıl yaşamışlar? O gece içmemiştim ama bir elektrik direğine yaslandım. Sokağa güney yönünden girer de bir direğe dayanmak gereğini duyarsanız üçüncü direğe dayanın. Boyunuz benimki kadarsa gözünüz hizasında çakıyla kazılmış bir "Ah" göreceksiniz. İstemiyordum; bunu kazıyan salt karşı evde oturması mümkün uzun tırnaklı bir kız yüzünden kazımış olsun. Eli paketlilerden bıkamaz mıydı? Yine de yarım saatten fazla evin aydınlık perdelerine baktım. Kimseyi görmedim. Üç gündür başka sokaklar da gördüm. Bir 'Aslan Yatağı Sokağı' var, bol dönemeçli. Bir zamanlar köşelerden birine bir gerçek aslan yerleşti de bütün şehir onu seyre mi koştu, yoksa aslan dedikleri övüngen mahalle kopuklarından biri miydi? Ya o sonuna dek gidip de bir tek servi göremeyeceğiniz 'Sıra Serviler Caddesi': Asfalt, üst üste beton yapılar, otomobiller sürüsü, hızlıyürüyeninsanlar sürüsü... Bu yolun servili olduğu zamanlar da insanlar böyle mi yürürdü? (Kimse karşılık vermedi. Sol kulağının memesini kaşıdı.) Biriniz gitse 'İki Öksüzler Sokağı'nın resmini yapsa ne olur! Hem sokağı, hem dirsekteki 'Ah'ı, hem iki öksüzü bize anlatacak sizler değil misiniz? Ama çıkmazsınız burdan. Çekinirsiniz. Ya soğuktan, ya sıcaktan, ya da sokağın önüne sehpayı kurduğunuz zaman insanların alayından korkarsınız. Oysa bir başlasanız alışacak hepsi; bir gün yaptığınız resme merakla bakan bir haylaz oğlandan başka kimse görmeyecek sizi. Çekinmeyin...

— Ama omuzu düşük adamdan sen de çekinmedin mi? dedi Necmi gülerek.

— Ben başkayım.

— Ben de başkayım. (Fatma'ydı bu.)

— Doğru, hep başkayız. Ayak bastığımız her yer dünyanın merkezi oluyor. Her şey bizim çevremizde dönüyor...

Sadık fırçayla tahtaya vurdu.

— Haydi bakalım, dalga geçtiğimiz yeter, dedi. Sen de kes artık tıraşı da millet çalışsın.

Sehpalarının başına döndüler. Sami kendininkini getirdi, onun yakınına yerleştirdi. Tuvali çıkarıp bir başkasını taktı.

— Ara sıra benden yana da bakarsın elbet abi, dedi.

Karşı evin penceresindeki kocakarıya bakıyordu. Başını çevirdi. "Elbet sana da bakacam. Kaşlarını çatıp dudaklarını ıslık çalar gibi uzattığın zaman... Gözlerini kaldırdığında birbirimizi göreceğiz. Biliyorum mavi gözlüsün." Üç hafta önce yüzünden sargıyı çıkardığı gün Sami resmini yapmak istemişti. "— Olur mu? Ne zaman geleceğim belli olmaz. Doğru dürüst de oturamam ben. Bakınırım, kıpırdar dururum." "— Kıpırda var abi, fotoğraf çekmeyeceğiz." Sadık izin verince daha o gün başlamışlardı. Burada öğleye değin kalırdı; öğle sonları başka bir atölyede olurdu. İşte beş gündür uğramıyordu. Demin anlattıkları doğru muydu? Eksikti: Beş gündür Ayşe yoktu.

Kulak memesini kaşıdı. Hep böyle olurdu burası. Sadık sehpaları dolaşır, fısıldar gibi konuşulur, arada biri öksürür, birisi sobaya kömür atardı. Selma bazen daldırıp bir hava tutturacak olsa nükte hazırdır: "— Dinleyin, Scala'dan konuğumuz var." Kalktı; paltosunu çıkarıp yine oturdu. Resmini merak ediyor ama Sami bitmeden göstermez. Başladığının ikinci günü Sadık sehpanın yanına gelip durunca çocuğun yüzü kararır gibi olmuş, o da, "— Rahat bırak çocuğu, bildiği gibi yapsın şunu. Ukalâlığını başka zaman gösterirsin," demişti. Sadık gülmüştü, çekilirken. Artık yanlarına gelmiyordu ama, biliyor, bir gün gelecek, "Sen bu eve manavın evi dedikçe kızardım ya hakkın varmış. Geçende doktora sordum. Evi dedesi yaptırmış; Beşiktaş pazarında manavmış," diyecek. Oysa bir kere daha onun dostluğundan şüphelenecek, "Arada resim satın aldığım için mi..." diye düşünecek.

Saatine baktı, on ikiye geliyordu. Kocakarı camın ötesinde, yerindeydi. "Kadının aklından geçenleri biliyorum. İlgilendirmiyor beni, sevmiyorum." Başını çevirince Sami'nin gözlerini gördü, sonra ötekileri. Bir-iki yıl sonra bunlar gidecekler, burada başkaları olacak. Bir başka mavi gözlü çocuk onun resmini yapacak. Değişmeyen Sadık, o, bir de karşı evin kocakarısı kalacaklar; bu hep sokağa bakan kadın. Birden içini bir yere, bir şeye geç kaldığı duygusu kapladı. Yirmi sekiz yaşındaydı, tedirgindi. Kalktı, paltosunu astığı köşeye yürüdü. Ardından Sami de geldi.

— Nereye abi?

— Hiç. Gidiyorum.

— Öğle yemeğine bize gitsek? Annem...

— Olmaz. Birisi bekleyecek beni. (Yalan söylüyor.)

Orada bilmediği insanlar vardır. "— Rica ederim, çıkarmayın ayakkaplarınızı." Çıkarmazsınız ama çıkarmadınız diye kızdıklarını sanırsınız. Hele hatır sormanın yapmacığı... Paltosunu giydi.

— Eyvallah! dedi. Çıktı. Merdivenlerden hızla indi. Sokağa varınca baktı geç kaldığı bir şey yok. Her şey her zamanki gibiydi: Motor gürültüsü; kalkık yakalı, hızlı yürüyen, kayıtsız insanlar. Akaretler durağına yürüdü. Tramvaya binerken kaval kemiği basamağa çarptı. Canı yandı ama aldırmadı. Kalın enseli bir adamın arkasındaki boş yere oturdu. Sami'yi düşündü. "Çıkarılmadık ayakkaplara, şuraya buyurunlara, hatır sormalara rağmen gitseydim acaba kimleri görecektim?"

(Gitseydi B.'yi tanıyacaktı. Bu fırsat kaçtı. İkinci fırsatın bunca çabuk çıkacağını kim diyebilirdi? O da oldu. Dolmabahçe durağında iki yandan gelen iki tramvay yan yana durdular. Başını sola çevirseydi onu görecekti; B.'nin yüzü ondan yanaydı. Ama onun aklı fikri önündeki adamın kulağının ardındaki kirdeydi. Bu kirin biçimi onu müthiş ilgilendiriyordu. Sonunda Matisse'in bir desenine benzetti. İçi rahatladı.)

Karaköy'de de indi. Yemek yedi. Lokantadan çıkınca gökyüzüne baktı: Bulutlu. Yağmur mu, kar mı bir şeyler yağdı yağacak. Oysa yürüyerek sinemaya gitmek istiyordu. Yürüdü de. Yüksekkaldırım'ı tırmanıp Tünel'e varınca köşelerinden birinde kitapçı, ötekinde bakkal dükkânı olan sokağı gördü. Döner dönmez çevresindeki gürültüyü yitirir gibi oldu. Eskiden haftada üç-dört gün yolu burada biterdi. Durup sağ ilerisindeki yapılardan birinin büyük pencereli üst katına baktı. Perdeler açıktı. "Orada!" Sonra kafasındaki alışverişten utandı. Geri dönüp sokaktan ayrılırken paltosunun yakasını kaldırdı; ellerini ceplerine sokup kalabalığa karıştı.

Sinemaya girdiğinde üstü başı az ıslaktı. Önce yüz numaraya girdi, çıktı. Bir sigara içti. Salon pek kalabalık değildi. Paltosunu çıkarıp ortalarda bir koltuğa oturdu. Gelenlerin çoğu kadın. Bir de belki iki saatlik aylaklar, okul kaçakları... "Şunların arasında sevilmeğe değer birkaç kişi niye olmasın? Tok karın iyimserliği mi yoksa?" Başlama saati yaklaştıkça boş yerler doluyor. Bir kadın yanındaki koltuğa doğru geldi. Kadının yüzünde sanki koyu vişne bir ağızla Romalı heykel burnundan başka bir şey yoktu. Koyu vişne kıpırdadı:

— Sahibi var mı efendim?

Orada duran paltosunu kucağına aldı. Kadın oturdu. Çantasının üstünde uzun tırnaklı uzun parmakları vardı. Az sonra ışıklar sönünce kadın koltuğun ötesine doğru toplandı. Bu çabuk kaçış onu yanındakinin bir yerine gerçekten değmiş gibi üzdü. İçinde kıpkızıl bir öfke kabardı. "Hay lânet olası. İnsem mi beynine?" Kendini güç tuttu. Bu öfke bir kırgınlık, bir başkalarına küsme duygusuyla karışıktı. Seveceğini sandığı insanlar bunlar mıydı? Perdede dünya haberleri gösteriliyor. Bu "karı"nın yanında kalırsa bir şey göremeyecek. Kalktı. Sıradan çıkarken birinin ayağına bastı. Adam hiç seslenmedi. "— Çüş!" falan deseydi bir yanını kırardı. Gitti ilerde boş bir yere oturdu. Arkasında, alaca karanlıkta belli belirsiz kıpırdayan insan suratlarına meydan okurcasına baktı. Ama onu kimse görmedi.

İki saat sonra kalabalığın içinde, sinemadan bir dar sokağa çıkan sanki başka birisiydi. Düşünüyordu: "Çağımızda geçmiş yüzyılların bilmediği, kısa ömürlü bir yaratık yaşıyor. Sinemadan çıkmış insan. Gördüğü film ona bir şeyler yapmış. Salt çıkarını düşünen kişi değil. İnsanlarla barışık. Onun büyük işler yapacağı umulur. Ama beş-on dakikada ölüyor. Sokak sinemadan çıkmayanlarla dolu; asık yüzleri, kayıtsızlıkları, sinsi yürüyüşleriyle onu aralarına alıyorlar, eritiyorlar." Saatine baktı: Dört buçuğa beş vardı. "Eve gidip okusam." Durağa yürüdü. "Bunları kurtarmanın yolunu biliyorum. Kocaman sinemalar yapmalı. Bir gün dünyada yaşayanların tümünü sokmalı bunlara. İyi bir film görsünler. Sokağa hep birden çıksınlar..." Kafasından geçene güldü. Duraktakiler dönüp baktılar. Kadının biri kaşlarını çattı. Sokakta kendi kendine sesli gülünemeyeceğini bilmeyen yoktu. "Ne adamlar be. Güldüysem güldüm, size ne?" Duramadı orda, yürüdü. Eve gitmeyecek. İçindeki 'sinemadan çıkmış kişi'yi öldürdüler. Sağ kalan sıkıntılı, kızgın. Hep ölçülü-biçimli mi davranmak gerek? Kim demiş? Başkaları onu eve gidecek sanırken o gidip bir meyhanede içecek. Yolun çivisiz yerinden karşıya geçti. Kayıp giden otomobiller duraksadılar. Bir şoför sövdü. O duymadı.

Birahaneye girince ışıkları yaktılar. Bu önüne üç ayaklı yüksek iskemleler sıralanmış temiz çinko tezgâhlı, küçük yere ilk giren oydu. Arkada bir tek masa vardı. Duvardan yana, tezgâhın önüne oturdu. Karşısındaki raflarda boy boy şişeler sıralı. Adam, el alışkanlığı, kuru çinkoyu kurulayarak yaklaştı.

— Ne istersiniz?

— Kavaklıdere. Ilık olmasın.

— Meze?

— Ne varsa. Bir de midye dolması.

Adam gitti, duvardaki deliğe seslendi. Stadyum gişelerindeki delikler gibi. Kimler vardı orada acaba? Bir kadın mı? Önlüğü ellerinde kirli bir oğlan mı? Bütün gece ne yaparlar? "Ne de meraklıyım!"

İlk bardağı sonuna dek içti; susamıştı. Sanki içi ısındı. Paltosunu çıkardı. Bir sigara yaktı. Şimdi çevresine bakabilir; ama yalnız meyhaneciye bakıyor: Yaşlı değil. Yeni gelen iki kişiye içki veriyor. Burnu üstüne bir şeyle vurulmuş da ezilip öyle kalmış gibi. Az sonra içerisi dolacak; kimisi içtikçe cıvıyacak, kimisi yayık yayık ona dert dökecek. Çekilir mi? Acıyor şu adama. Ne sıkıcı işleri var insanların!

— Merhaba, dedi biri arkasından. Başını çevirince aktörü gördü.

— Merhaba. Gelsene.

Yanındaki iskemleye oturdu. Pek sevmez onu; çok konuşur, ama bu gece varsın konuşsun. Bir şişe daha getirtti.

— Oyun yok mu bu gece? diye sordu.

— Var ya, bugün izin günüm.

Bir sigara çıkardı; eğildi onunkinden yaktı.

— Gelirken senin ressam kızı gördüm, dedi.

— Boşver.

— Ne oldu?

— Ayrıldık.

— Neden?

— Uzatma. Başkasıyla gördüm yolda. Bir kızardı ki sorma. Oysa yüzüme söyleseydi, bir başkası var deseydi sevinirdim.

— Atma.

Kızdı. İnanmıyordu. Aktör bardağını kaldırdı.

— Susuzluktan sonra sululuk, dedi. İçtiler.

Meyhane yükünü almış, boş yer yok. Hava dumanlı. Herkes bağıra bağıra konuşuyor. Gözü gişe deliğine takılıyor. Garson eğilmiş içeriye bağırıyor.

— Şu deliğin ardında... Aktör lafını kesiyor.

— Bırak o deliğin ardını da bana bak. Yolsuzum ben, diyor.

— Aldırma.

Niye ilkten, kafayı tutmadan söylemedi bunu? "Hepimiz güdüküz. İçkiden umarız." Karidesi elle yiyorlar.

— İşin yok. Nerden buluyorsun bunca parayı?

— Çalıyorum.

Garson boşların yerine dolu şişeler koyuyor. Aklına sinemadan çıkınca düşündükleri geliyor.

— Bugün insanları kurtaracak çareyi buldum.

Birisi radyoyu açmış, cırlak bir kadın sesi, "... yok mu, nedir bunun çaresi?" diye soruyor.

Katıla katıla gülüyorlar. Bütün içenler dönüp bakıyor, onlar da gülüyorlar.

— Baksana kardeşim, şu zırıltı bitince piyano çalınan bir yer bulsana bize, diyor garsona.

— Az durun.

"Esnaf bu. Ötekileri uyutacak." Aktör,

— Neydi o çare? diyor.

— Hangi çare, kadının sorduğu mu? Kalantor bir koca.

Artık çok kolay gülüyorlar. Sonra piyano başlıyor. Birden kendini Ayşe'nin atölyesinde buldu. Ne derdi şu çalınana? *Apassionata.* Önce kapıyı kilitlerdi. Pikaba plakları sıralar, ilk sesle birlik uzandığı sedirde olurdu. Başını kucağına alırdı. Oysa her sefer kapıyı kilitledi diye kızardı. Duvarlarda griler, uçuk maviler asılıydı. Temmuz sarısı, mayısın esmerimsi yeşili... Ayşe insan resmi yapmazdı. "— İnsanlardaki her duygu bir renktir," derdi. Gözünün merceğinde donuk bir istek, kara... Saçlarını karıştırırken tutar elini öperdi. Sonra *Apassionata*'nın kafasında boyadığı rengi düşünürdü. Kırmızımsı benekli upuzun bir boz...

— Kes şu zırıltıyı! diye bağırdı biri. İrkildi. Kimse aldırmadı. Artık aktörün sesini duydu:

— "Kiremitlerden biri çatlak olmasa dam akmaz," dedikten sonra onu öpmem gerek. Dudaklarını öperken ısırıyorum. Oyundan sonra, "Alçak," diyor, "söylicem yönetmene bir daha yaparsan." İnadına ısırıyorum kaltağı. O sahnenin ortasındadır hep. Ben, sırtım seyircilere dönük, kollarım yukarda yaklaşıyorum. Kiremitlerden biri çatlak olmasa dam akmaz, diyorum. Ne boktan laf değil mi? Başına geleceği biliyor. Titriyor dudakları. Ne dudaklar, bilirsin; iri iri, üstelik boyalı.

— Ya seyircilere söylerse.

Aktör güldü.

— Söylemez. Yüksek oyuncu o. Yönetmene bile söylemez.

— Hamlet, itsin sen, it.

— Boşver Otello, dedi aktör.

— Otello deme bana.

— Değil misin?

— Bırak şu alık arabı.

Tezgâhın ardındaki adamı çağırdı:

— Doldur şu bardakları kardeşim. Adın ne senin?

— Mecit, dedi adam çekilirken.

— Hamlet, duydun mu herifin adını?

— Hamlet deme bana.

— Peki, peki Hamlet.

Aktör kollarını kaldırıp bağırdı:

— Seni içinin demir parmaklıklarından azat edeceğim!

Bütün sarhoşlar dönüp baktılar. Aktörün rol yaptığının farkında değiller, kavga çıkacak diye gözleri şakıyordu.

— Hangi boktan oyundan bu laf?

— Unuttum, dedi aktör, Mecit miydi adı?

Deliler gibi güldüler. Ötekiler bezgin, şimdi onlarla ilgilenmiyorlardı. Meyhanecinin adına pek tutuldular; yoksa bu kadar içmezlerdi.

— Mecit, doldur şu bardakları kardeşim, diyorlardı sık sık.

Piyano çoktan susmuş, içenlerin çoğu gitmişti. Aktör deminki hikâyeyi yeniden anlattı.

— Bu gece senin yerine onu başkası öpüyordur.

— Sus, dedi aktör, öyle istiyorum ki kaltağı!..

Bardağını kaldırdı.

— Dünyadaki bütün kaltakların sağlığına, dedi. Ama içemedi. Bardağı bıraktı. Yüzü sarardı, iskemleden aşağı kaydı.

Aktörü Parmakkapı'daki odasına bıraktılar. Şoför olmasa onu taşıyamazdı. Kendini koyvermiş, lapa gibi. Sonra taksi evinin önünde durdu. Yol çok kısa geldi ona. Şoförün parasını verdi. "Umduğundan çok vermeli. Canım tek kelime duymak istemiyor." Merdivende başı döndü; tutundu. Dış kapı gece gündüz açıktır. Kendi kapısına anahtarı bir türlü uyduramıyor. Kertikli yeri alta mı gelecekti üste mi, unutmuş. Söve söve sonunda kapıyı açtı. Ayakyolundan yana yürüdü. Döşeme ayaklarının altından gidip gidip geliyordu. "Bir yüzümü yıkasam." Musluğa uzandı; tutamadı. Ayakyolunun açık kapısından yana upuzun düştü.

... Sonra baktı o tiyatroda oturuyor. Sahne şıpır şıpır akıyor. Kiremitlerin hepsi mi çatlak? Bir de koku, nerden geliyor bu? Ardına baktı: Kapı bir lağıma açılmış. Kimse kapamıyor. Çevresinde hiç kadın yok; tümü de erkek. Tıraş olmuşlar, şap sürmüşler suratlarına sanki. Karalar giymişler. Gözleri sahnede. Ortada bir kız duruyor. Sırtı dönük adam arkadaşı değil mi? Sızmıştı o ya. İşte ayılmış, gelmiş. Kıza yaklaşıyor. Isıracak mı yine? Kız aktörü itip sahnenin önüne yürüyor. Yüzü kıpkızıl boyalı. Ağlıyor. Şaşılacak şey bu akan yaşın boyaları silmeyişi. "Bakın bu adam her gece ısırıyor beni," diyor. Şimdi kalkıp aktörü döverler. Kız şaşkın, öyle duruyor. Kimse kıpırdamıyor. Şaplı yüzler kırışmış; gülüyorlar. Nedense içini bir korku kaplıyor. Kalkıyor. Salon sımsıkı. Nasıl kaçacak? Omuzlara basa basa koşuyor kapıya. Bağırıyorlar. Birkaçı yumruk gösteriyor. Şimdi lağımın içine yürüyor. Koku artmış. Bu şehrin böyle bir lağımı olsun, ummazdı. Işıklı. İki yanında kapılar var. İnsanlar girip çıkıyor. Beyaz önlüklü bir kadın ona doğru koşup önünde duruyor. "Ah" diyor. "Baban sandım seni. Sizin evde hizmetçiydim ben. Tıpkı baban gibisin. Bir bıyıkların eksik." "Defol, babama benzemem ben." "Niye kızıyorsun? Babaya çekmek kötü bir şey mi? Yaman adamdı senin baban." "Defol. İstemiyorum." "İstesen de istemesen de onun gibisin sen. Bak nasıl bakıyorsun bacaklarıma." "Hayır, hayır sus!" Kadın gülüyor. Korkunç bir öfke kabarıyor içinde. Üstüne yürüyor, ama kadın artık yok. Çevresinde kendi halinde insanlar var. Kokuyu duymuyorlar mı? Oysa çatlayacak. Ya bu dondurucu soğuk...

Kendine geldi. Baktı kafası kubura yakın, az daha uzandı; öğüre öğüre kustu. Kalktı. Üstü başı ıslanmış. Titriyor. Yüzünü yıkadı; ağzını çalkalayıp su içti. Biraz açıldı ama kafası boş; ağrıyor. Sanki çok önemli bir işi varmış gibi birden yürüdü. Oturma odasına girdi. Doğru pencereye gitti. Dün gece kırdığı camı yokladı. Takılmış...

3

Bedeninin yükünü öbür bacağına yükledi de biraz rahatladı. Bir saattir burda dikiliyor. Yorgun. Oysa Ayşe ayakta durmaya alışıktır. Ama sehpanın önünde ileri geri gider gelir, kıpırdar; böyle olduğu yerde dikilmez. İki gün önce bu iş ona pek kolay gelmişti. "Filmlerin değiştiği gün bakarım hangisinde iyice bir şey varsa o sinemanın kapısında dururum. Nasıl olsa bir gün gelir," demişti. Şimdi gücün bekliyor. Ayakları üşüyor; kalçaları ağrıyor. Film başlamıştı. İçeriye yüzlerce insan girdi. Biraz yürüse belki açılacak, ama korkuyor. Ya tam o sırada biletini alıp öteki kapıdan içeri girerse... Gişenin önünde kimseler kalmadı. Son geçenler ona bir tuhaf baktılar. "Acınacak gibidir suratım." Saatine baktı: Üç. Daha beş saatten çok beklemesi gerek.

"Dayanamam. Donacağım." Gözü karşı afişteki ağlamaklı kadına takıldı. Sanki beklediği kişi söz vermiş de gelmemiş gibi içini bir öfke kapladı. Yürüdü. Kocaman camlı kapıdan bekleme yerine baktı. Birden yüzü aydınlandı. Bir bilet alıp içeri girdi. Gişenin iki yanındaki iki giriş kapısı da buraya açılıyordu. Gelirse onu görecekti.

Masalardan birine oturdu. Dışarının soğuğundan sonra burası ona sıcak geliyordu. Garsondan çay istedi. Çayı içtikçe daha bir ısınıyor. Salondan filmin boğuk sesi duyuluyor. İçinde deminki öfke yok. Gelsin istiyor, gelsin de ona suçsuz olduğunu anlatsın. O gün büyük caddede karşılaştıkları zaman yanında Selim vardı. Sergiden çıkmışlardı. Pek mi içli-dışlıydılar? Buna imkân yoktu. Bir kere Selim boz rengi sevmezdi; sonra bıyık da bırakırdı. Ama Ayşe onun yüzünü görür görmez –sapsarıydı. Görünüşünde onun suçlu olduğunu kesin olarak bilen bir şeyler vardı– kendini gerçekten suçluymuş gibi hissetmiş, kızarmıştı. Ayşe'nin başı üstünden ötelere bakarak geçip gitmişti.

Bardakta kalan çayı birkaç yudumda bitirdi. Bir sigara yaktı. Boşu almaya gelen garsondan bir çay daha istedi. En kötüsü bir haftadır çalışamamaktı. Her gün öğleye doğru atölyesine girip sehpaya bakıyor, çalışma gücü yitik, kendini sedire atıyordu. Kulakları kapı ötesinin bütün tıkırtılarına açık, yalnız kanının damarlarındaki koşusunu duyardı. Son haftaya değin kendi etinin gürültüsünü bu kadar açık hiç işitmemişti. Kapıya yaklaşan ayak sesleriyle iki kere yüreği duracak gibi çarpmıştı. Birisi 'geçerken uğramış bir arkadaş'tı, öbürü annesi. "— Neyin var kızım?" "— Bir şeyim yok. Başım ağrıdı da..." Herkes onun gibi değil miydi? En az umutlanmaları gerektiği zamanlar en çok umarlardı.

Saat dörtten sonra bekleme salonu dolmaya başladı. Çoğu ayakta duruyor, bazıları oturup bekliyorlardı. Parlak saçlı, ince bıyıklı bir genç geldi yakınına oturdu. Ayşe'nin gözü kapılarda ama üstünde onun bakışlarını duyuyor, sinirleniyor. "Ne kalabalık. Bir o yok sanki." Salonun kapıları açılınca bekleyenler itişe-kakışa yürüdüler. Bir kadın bağırdı. Yeni gelenler geç kalmış gibi koşuyorlar. Bekleme salonu boşaldı. En son iki öğrenci kız girdi. Şimdi bir Ayşe var oturan bir de o bıyıklı. "Yanıma düşsün diye bekliyor bu. Herkes kendi dalgasında." Başlama zili çalarken adam kalkıp gitti. Yine yalnız kaldı. Pek yalnız da sayılmaz; garson var, kapılardaki bilet yırtıcılar var. Bu adamların kendine acıyarak baktıklarını sanıyor, sıkılıyor. Beklediği kişi bunları umursamaz, biliyor.

Garsondan pasta istedi. Paltosunun cebinden bir dergi çıkardı. Bir zaman okudu. Sanki saat yürümüyordu.

Altı buçuk kalabalığındaki insanlar ona göre dişili erkekli hep birbirinin benzeri. Bir ayrılıkları yok. Kapılardan girenlere o mu değil mi diye bakıyor. Kadınları görmüyor. İçinde bir umut var. Oturmaktan beli ağrımış, bir o kapıya bakıyor, bir ötekine. Beklediği gelmiyor. Günlerdir bekliyormuş gibi geliyor ona. Kızıyor. Oysa film kalkıncaya dek her gün bekleyeceğini sanmıştı. "Yapamam. Canı cehenneme. Hem göreceğim de inanacak mı bana?" Bu kesin yargıyla biraz açıldı. Yine de üzgün; ama tatlımsı bir üzüntü bu, kahredici değil, yerleşik. Kalktı. Artık gelmeyeceğini biliyordu. "Kim bilir nerde içiyordur." (Doğru değil bu. Beklediği kişi aşırı soğuk algınlığından hasta yatıyor. Tam şu anda mendiline sümkürdü.)

Salona girerken garson yediklerinin parasını istedi. Pek kibarca istedi oğlan ama o yine de utandı. Şimdiye dek hiç yapmadığı bir şey yaptı: Bir lira bahşiş verdi.

İçerisi karanlıktı. Yer gösteren kızın tuttuğu soluk ışıkta, aralarındaki boş koltuğa oturduğu iki kişiden birinin kadın ötekinin erkek olduğu yalnız giysilerinden belliydi. Geriye yaslanınca omzu solundaki erkeğin omzuna değdi. Çekmediler. Film hoşuna gidecek gibi görünüyor. Kılıksız bir genç adam koca koca yapılara girip çıkarak büyük şehirde iş arıyordu.

Solundaki erkek kolunu onunkine bastırdı. Perdedeki genç iş buldu; kılığı düzeltti. Beş-on kişiyle birlik bir işletmede çalışıyor. Önlerinden kutular geçiyor. Orada bir kız da var. Olmasın mı? Bir yazarın dediği gibi: "Kadınsız hikâye tuzsuz aşa benzer."

Ayşe elini oturduğu yerin kolluğuna bırakırken bunun bir çağrı olabileceğini düşündü. Aldırmadı. Yanındaki erkek bu çağrıya dayanamıyormuş gibi korka korka uzanıp elini tuttu. Çekmedi. Varsın okşasın. İlkel bir yaklaşma, sürtünme duygusuydu bu. Ötekini düşündü. O böyle şey yapmazdı. Her zaman kendi kendisiyle savaştadır. O gün suçsuz olduğunu ona anlatamayacaktı. Filmdeki genç adamla kız işletmeden birlikte çıktılar. Sokakta konuşarak yürüyorlar. Sonra evinin önünde genç adam kızı öptü.

Yanındaki, elini daha bir kuvvetlice sıktı. Ayşe'nin içinde ılık, eskiden tadılmış bir huzur vardı o an, ama bu çok sürmedi. Baktı o bilmediği erkek ona doğru eğiliyor. Kalınlaşmamış, titrek bir ses duydu:

— Bayan, çıkınca biraz dolaşır mıyız?

Bir genç horoz konuşabilseydi ancak bu sesle konuşurdu. Neden insanlar susmayı bimiyor? "O bilir. Susulacak zamanı o bilir." Birden içinde ona karşı dayanılmaz bir sevgi, bir özlem duydu. Elinin biri nerde? Çekti aldı. Yerinden kalktı. İşte gidecek. Filmi görmese de olur. Sinemadan çıkarken yarın gelip yine beklemeyi kuruyordu. Bu gece günlüğüne ne yazacak? Bugünü nasıl özetleyecek? "Bir horozun vakitsiz ötüşü" diye yazsa olmaz mı?

Evin kapısını hizmetçi kadın açtı.

— Yoklar mı?

— Tiyatroya gittiler.

Yemekten sonra odasına çıkıp ışığı yaktı. Masanın çekmecesinden bir defter çıkardı. Buna günlük de denmez; içine her gün yazmıyor. Ara sıra, yaşanmış günün üzgünlüğünü, sevincini –ama bilinmeyen bir süzgeçle eski keskinliklerinden, tortularından süzülüp arınmış olarak– bir daha yaşamak için bu defteri açardı. Yapraklarını karıştırdı. Belli bir yerinden okumaya başladı:

"Bütün sergilerin ilk gününde görülebilecek kalabalığın uğultusu başımda, bir arkadaşın peyzajı önünde durmuş, sarıyı bir köşeye itiverdiği, böyle yerinde tedirgin, üzgün, ağlamaklı bırakıverdiği için o arkadaşa kızıyordum. Tam ayrılacağım sıra peyzajı çizen, tanımadığım bir adamın kolundan tutmuş, gürültüden duyamadığım bir şeyler anlatarak yanıma geldi. Bizi tanıştırır tanıştırmaz gözlerindeki pırıltıdan sezdiğime göre resmini nasıl bulduğumu soracağı sıra az ötemizdeki topluluktan birisi onu çağırarak, ben dayanamayıp sarıdaki tedirginliği söyleyeceğim zaman, 'Yine mi Van Gogh?' 'Yüzyılımızın renk anlayışına getirdiği veriler'e benzer bir yığın laf dinlemek sıkıntısından beni kurtardı. Yanımızdan ayrılınca yeni tanıştığımız gence resmi beğenip beğenmediğini sordum. Bu işten anlamadığını, yalnız gökyüzünün grisi yaprakların yeşiliyle örtülü olmasaydı resmi beğenebileceğini söyledi. İlk bakışta onu bir yakışıklı züppe sandığım için elini tutup beni bağışlamasını isteyecekken kendimi gücün tuttum. Griyi benim de sevdiğimi, isterse ona karşı duvarda asılı kendi boyadığım bir resmi göstereceğimi söyledim. Kalabalığı yardık. Uzun uzun baktı.

— Bu iyi, dedi, satılık mı?

Satılık olduğunu, ama ondan para almayacağımı, renk beğenimin uyduğu bir kişiye bunu armağan etmekle sevineceğimi söyledim. Bu kere uzun uzun bana baktı. Kuşkulu bir bakıştı bu. Çabucak atölyemde daha bir yığın resim olduğunu, isterse bir gün uğrayıp görebileceğini söyledim. Atölyemin yerini cep defterine yazdı. Bir gün geleceğini, resimlerimi merak ettiğimi, yalnız belki kötü bir huyu olduğunu, ikinci görüşünde konuştuğu kimselere 'siz' diyemediğini söyledi. Sonra bıraktı gitti."

....

"... Paletimi eline alıp bir ressamın kişiliğinin en açık paletinde belireceğini, bulduğumu, bulmak istediğim renkleri merak ettiğini, boza kaçar bu uçuk gök rengini sevdiğini, onda bir kapalı havanın geçici sıkıntısı olduğunu söyledi. Sonra kakır kakır güldü.

— Gördün mü, esaslı ukalâyım ben. Neyse, kaçayım artık, çalışmak istersiniz... dedi.

Kalırsa sevineceğimi söyledim; yanında da çalışabilirdim; hem isterse plaklardan piyano dinlerdik. Yüzü ışıyıverdi.

— Deme! Piyanoyu severim, dedi.

Sedire oturdu. Pikaba Bach'ları sıraladım; başladım gökyüzü yemişlerini boyamaya. O boyuna sigara içti. Plaklar bittikçe yeniden başlattık. Füglere ezgi diyor. Bu 'ezgi' sözcüğü pek hoşuma gitti. Ben sehpanın önünde, o sedirde, uzun zaman konuşmadık. Resmi bitirdim. Hava kararırken çıktık; sokakta ayrıldık. Eve doğru yürüdüm. O kim bilir nereye gitti. Ama yarın gelecek."

....

"... Dün yaptığım resmin adını ne koyacağımı sordu. Adını yaparken koymuştum: 'Tanrının İkindi Kahvaltısı.' Islık çaldı, güldü.

— Bu resmi satın almak isterdim, dedi.

— Satılık değil, dedim.

Kalktım, resmi bir eski gazeteye sardım.

— Sergidekinin yerine bunu vereyim size. Giderken götürürsünüz.

— Şimdi gitmeyeyim mi?

— Bilmem ki. Kalın isterseniz.

Kaldı."

....

"... Hanidir ben çalışırken arkamdan bakıyordu. Sonra çenesini omzuma dayadı. Ürperdim; sanki yoğunlaştım. Soluğunu duyuyor, ne olacağını hem bildiğim hem bilmediğim bir şeyin olmasını bekliyordum. Paleti, fırçayı bıraktım. Birden kendine döndürdü beni; öptü. Halûk Paris'e gideli beni kimse öpmemişti. Kafamdan kovdum onu, sarıldım."

....

"Kahvaltıda babam dün gece geç geldiğimi söyledi. Yüzü asıktı ama umursamadığı belliydi. Başka şeyler düşünüyordu. Annem de öyle.

— Ressam mı? diye sordu annem.

— Değil. Aylakmış; öyle diyor.

(Dün gece lokantada bira içerken sormuştum. '— Aylağım ben, demişti, param var. Hem benim yapacağım bir iş de yok.' Sonra yolda başım dönüyordu. Kapının kuytusunda öpüştük. 'Yarın evine götür beni' dedim. '— Olmaz, dedi, evime bir giren bir daha çıkamaz. Güveniyor musun kendine?' '— Bilmem.')

— Nasıl geçiniyor öyleyse?

— Geliri varmış.

— Bir gün getir de tanışalım, dedi annem.

Babamın yüzü ekşidi. İşsizleri sevmez. Kızarmış ekmekleri getirdiler..."

....

"Dazlak adam kalktı gitti. Bu uzak masadaki sulu bakışlı adamın varlığı beni sinirlendiriyordu. Lokantanın havası değişmiş gibi oldu. Ayaklarımı onunkilerin yanına uzattım. Gözlerini sigara küllüğünden çekti, bana baktı. Tatlı, ısıtıcı bir bakıştı.

— Ne düşündün? dedim.

— Ne mi? Çok şey.

— Annem diyor ki...

— Bırak anneni babanı şimdi, dedi elimi tutup, sen kimi kimsesi yok bir kızsın.

Neden böyle dedi? Sormadım. Çekindim."

.....

Başını kaldırdı. Artık okumayacak. Biliyor: Sedire uzanışlar, ezgiler, yüzü sarılı geldiği gün terzilerden bahsedişi, 'Sargı çıkıncaya değin beni bekleme,' deyip gidişi, beş gün sonra sargısız geldiğinde çenesinin solundaki bir ufak kızartıyı öptüğü zamanki durgunluğu gelecek. Kalemini aldı. Yazıların bittiği yerdeki boş sayfanın başına günün tarihini attı. Altına 'Bir horozun vakitsiz ötüşü' diye yazıp defteri kapadı.

4

Deminden beri avukatın sesinde saygılı bir titremeyle sayıp döktüğü rakamlar bile neşesini bozamıyordu. Kiralar, bankanın yıl sonu mektubu, rakamlar... Avukat ona yıllık hesabını veriyordu. Eleni geleceğini haber verdiği zaman canı sıkılmıştı ama şimdi eğleniyor. Arkasında yastık, bacakları battaniye ile örtülü sedirde uzanıyor. Hastalığın imtiyazı bu. Öteki koltuğa oturmuş, önündeki kâğıtlardan bir şeyler okuyor. Bu adam belki de onu aldatıyordur. Beş-on liralık aldatmalar, salt böylelerinin bildiği çapraşık düzenlerle girdi-çıktıları uğraşa didine tartılmış, uzun emekli ek-paralardır bunlar. Bir de şu vicdan dedikleri şeye sahipse bu, bu –şaşılacak şey, avukatın adını unutmuş– her neyse, bu adam; o da cabası. Bütün aldatmalar, para kayıpları onun kurtulmuşluk duygusu yanında ne kadar önemsiz.

Bu kır saçlı, orta yaşlı, iri burunlu adamın Eleni'yi sıkıştırdığını bilmek neşesini arttırıyor. Kafasının içinde "ah canım"lı "yapma çapkın"lı bayağı bir tiyatro oyunu kuruyor. Üçüncü şahıs adamın akciğer rengi karısı... Avukat doğrulduğu zaman katıla katıla gülmek üzereydi; kendini güç tuttu.

— İşte anlaşmamızı dinlediniz. (Neyi dinledik?) Gördüğünüz gibi geçen yılın aynı. Lütfen şuraya atın imzayı.

İmzaladı. Bu şu demekti: Kiraları avukat toplayacak, karşılık olarak şimdi oturduğu katta parasız oturacaktı. Avukat kâğıtlarını çantasına yerleştirdi.

— Yılbaşı gecesi bizde küçük bir âlem yapıyoruz. Birkaç tanıdık aile gelecek. Siz de gelirseniz seviniriz. Gençler de olacak. (Göz kırptı.) Eğlenirsiniz.

"Oh, oh! Melodramın şahısları çoğalıyor. Kafam bu karışıklığı çözemez." Daha önce başka yere söz verdiği için gelemeyeceğini söyledi.

Adam gidince bir sigara yaktı. İçindeki acayip sevinç yalnız pastırmacının rakibi (bu çok bilgili kişiyi bu deyimle düşünmek, onu gözünde daha gülünçleştiriyordu) yüzünden olamazdı. Bu belki de yeniden sağlıklı olmanın sevinciydi. Üç gündür yatıyordu. İlk günü bütün dünyaya küs, bedeninin yakınmasını dinledi. Oynak yerleri, başı durmadan "biz varız" diye bağırdılar. İnsan hasta oldu mu kendi etinin bilincine çok daha varıyordu. Belki onları toplum içinde yaşatan hastalık bilinciydi. Geceleyin daldıkça tırnakları boyasız bir el, Ayşe'nin eli, saçlarını karıştırıyor, onu uyandırıyordu.

Dün sabah Eleni oda kapısını açıp yüzünü görünce koşmuş bir doktor getirmişti. Yalnız et suyu ile ilâç içmek hoşuna gitmiyordu ama bugün iyiydi. Öğleden sonra, avukat gelinceye değin kitap bile okumuştu.

Sigarayı küllüğe bastırıp üstünden battaniyeyi attı. Sedirden inerken ayak tırnaklarını gördü: Büyümüş. Işığı yakıp küçük bir makasla tırnaklarını kesti. Kırpıntıları küllüğe attı. Tıraş oldu. İşte insanoğlunun bir yığın süflî işi vardı. Oysa bir an önce sokağa çıkmak istiyordu.

Çoraplarını giyerken duvarda *İkindi Kahvaltısı*'nı gördü. "İndirsem mi şunu? Artık kapanması gerekirdi bu işin. Yoksa şu soğuk algınlığı mı böyle mızmız etti beni? Hadi sokağa, insanların arasına; hepsi de demir gibidir. Karnım aç. Et suyundan gık dedim."

Sokakta, ciğerleri soğuk havayla dolup boşaldıkça içinde korkunç bir güç duyuyordu. Köşede durup geniş caddeye baktı. Önünden insanlar, otomobiller, tramvaylar geçiyordu. Işıklarını yeni yakmış bu şehri seviyordu. Aradığı burda, şu gelip geçen insanların içindeydi. Belki bu akşam onu bulacaktı. Birden bir sigara içmenin dayanılmaz isteğiyle elini cebine attı. Paketi yok, evde unutmuş. Önünden geçen adama seslendi:

— Bir sigara verir misin kardeşim?

Adam dik dik baktı.

— İnayet ola, dedi.

Toplandı. Ne demeğe gelir bu söz? Şimdiye dek hiç duymamıştı. Birkaç adımda yetişti ona, kolunu tuttu.

— Neydi o demin söylediğin?

— Hiç. (Gözleri büyük, korkmuş) Sigaram yok da. İçmem ben.

Kolunu bıraktı. Gergin kasları gevşedi. Demek içmiyormuş. Bak bunu anlıyordu. Adam uzaklaştı. O da karşıya, duraktaki tütüncüye yürüdü. Bir paket sigarayla bir de kibrit aldı. Hemen yaktı. Dört-beş nefes çekti çekmedi tramvay geldi. Binerken sigarayı attı. İçersi kalabalık, oturacak yer yok. Kayışa tutundu. Yanında duran kadının arkası kalçasına değiyordu. Çekildi ama öteki durakta araba büsbütün dolunca sıkıştılar. Kadın başını yana çevirip sanki ona çirkin olmadığını göstermek istiyor. Konuştuğu adamın –kocası mı, kardeşi mi?– bir yakını olduğu belli. Onunla konuşurken bacağını dizine (C'nin dizine) değdiriyor, çekiyor, bastırıyor, gevşetiyor. "Katıksız dişi bu." İçinde çoktandır uyuyan hayvan uyanmış, nafakasını istiyor. Başına kan yürüdü. Nasıl doyuracak onu, parayla kadın eti mi alacak? Hatırladı: (Odalara çıkıncaya değin, Feyyaz'la beraberdiler. Hep kadınları anlatırdı bu Feyyaz;

bir de kendini. Galiba bir pazar öğle sonuydu. Yoksa ders günüydü de kolejden mi kaçmışlardı? Kadına pek bakamamıştı. Belli etmekten korktuğu hızlı bir çarpıntı vardı yüreğinde. Girdikleri odada bir karyola oluşu iyiydi. Kadın ne çabuk soyunup yatmıştı. Oysa çıplak olmanın düşüncesiyle çekingen, ağır ağır soyunuyordu. Önünde arkası dönük yatan kadının oturmaktan kızarmış butları vardı. Küçücük kabarıntılar, sivilceler... Kocaman kalçanın belin kıvrıntısına birden inişi... Dışarda rastladıkça kafasında soyduğu kadınların gerçeği demek buydu. "— Haydi, biraz çabuk ol canım." Kadının üstüne vardığında gözlerini görmüştü: Sıkıntılı, donuk. Etinin bilinçli kıpırtısı. Sonra aşağı salonda Feyyaz'ı beklerkenki o ölümsü boşluk duygusu.)

— Biletler, dedi biletçi. Adamın geçerken sebep olduğu sıkışıklıkta kadın sanki her şeyini bacaklarına indirip kendini ona verdi. İçindeki hayvan kanmıyor, daha istiyordu. Boştaki elini uzattı; kadının kalçasını, belini okşadı. Kadın koluyla saklıyor bu eli, göstermiyor. Sesinde belli belirsiz bir tınlama var. İçindeki canavar sevinçli.

Taksim'de inince kadın yanındaki adamın koluna girdi; yürüdüler. O da yürüdü arkalarından. Az sonra kadın dönüp ona baktı. İtici bir bakıştı bu. "İşi tadında bırak. Görüyorsun işte," diyordu. Bıraktı. Büyük caddeye girdi. Sağ kaldırımda yürüyordu. Karşı sıradaki derin localı sinemanın hizasına gelince başını sola çevirdi. Şaşı kadın yoktu. Sol kulağını kaşıdı.

Ağacami'nin önüne varınca, başı açık bir kız duvara tutunup yere tükürdü. Görünen yanağı sapsarıydı. "Kusacak bu." Kız uzaklaştı. "Gidip konuşsam..." Gitmedi. Karnı açtı. Hem önce Tünel'e kadar yürümesi gerekti. Tünel'e, daha doğrusu o bildiği sokağa yaklaşırken birden geriye döndü. Karşılaştığı kadınlara bakarak yürüyordu. İçinde korkunç bir güç vardı. Karnı açtı. Bu gece canı et istiyordu. Bol bol et yiyecekti. Tepebaşı'ndaki pahalı lokantalardan birine girerken karşıdaki saati gördü: Altıya on vardı.

5

Dört sandalye vardı locada. Yer gösteren kız cep fenerinin ışığını Erhan'ın bozuk para dolu avucuna tuttu. Bu durmadan sakız çiğneyen kız B.'nin sinirine dokunuyor. Erhan'ın eli yirmi beşliklerle ellilikler arasında kararsız gibi. Paltolarını öndeki sandalyelere attılar, oturdular.

— Üşüyor musun?

— Hayır.

Elini tuttu. Bu kemikli elin baskısı içinde gittikçe azalan kırgınlığı yatıştırdı. (Dışarda Erhan sinemaya girmek isteyince –fakülteden sergiyi görmek için çıkmışlardı– niye önceden söylemedi bunu? diye kırılmıştı. Sanki söylese onunla buraya gelmeyecek miydi? Demek bir aydır birbirlerini tanıyamamışlardı.) Yüreği çarpıyor diye kızgın. İlk defa geliyor locaya. Üç gün önce soğuk, karanlık bir arsada saatlerce öpüşmüşlerdi. Şimdiye dek bu loca insanlarına hep alay ederek bakardı. Neden kendi durumu ona pek önemli geliyor? Neden çarpıntısını durdurup kendisiyle alay edemiyor? Işıklar yanınca salondan yana bakamayan bu sinmiş, kızarmış loca insanlarının tedirginliklerindeki gülünçlük... Yoksa o da onlardan mı olacak?

Erhan'ın sol kolu omuzlarına dolandı. Yüzü yakınında, büyük. Dudakları birleşti. Sağ eli belinden yavaş yavaş yükseldi, göğsünde durdu. Kulakları uğulduyor. "Yüreğimin çarpıntısını duyacak. Ne saçma..." Bu el göğsünün hep bir yanını sıkıyor. Canı yanıyor ama yine de bu kemikli eli okşuyor.

Birden görünmeyen seyircilerin gülüşüyle ürperdiler. Bu yapıda film seyredenlerin de bulunması sanki olağanüstü bir şeydi. Erhan içinde "ceket" kelimesi geçen bir söz söyledi; sesi boğuk, anlamadı. Dudakları yeniden birleşti. Şimdi onunkileri tatlı-sert öpen dudaklar dışarda sinemaya girmeyi teklif edenler değil miydi? Son günlerde onun içtenliğinden şüphelenmiyor muydu? "— Her şeyin bir sırası vardır," derken gözlerini kısışı, yanlarına geldiği zaman Güler'e kaçamak bakışları... Tanıştığı erkeğin 'o' olmadığını anlar anlamaz ayrılacağını söylerdi. B.'nin bir yanı, Erhan'ın aradığı 'o' olmadığını biliyor, ama zorluyor kendini. "Niye o olmasın? Öyle güzel ki..." Yakınlık hoşlanmayla başlıyordu. Bir ay önce kantinde Dağlarca'nın *Ölü* şiirini okurken Erhan'ın gözleri sulanmıştı. Belki B.'yi ona yaklaştıran bu olaydı. "İşte eli bacaklarımda. Nedim de hep etekliğimin altında bacaklarımı sıkardı. Yoksa bu da o mu? Yılı olmuş. Tam bir hafta öpüştüktü. Tın tın..."

Bacaklarındaki el gergin, okşamakla kanmamış daha ileri kaydı. Kadının sonradan kazandığı o ek-içgüdüyle bacaklarını kıstı. Annesi, küçükken orasını kurcaladığını gördükçe eline iğne batırırdı. Salt oraya verilen önem... "Dalgın olduk mu gerçek benliğimizle davranıyoruz. Ben de öteki nazlı dişiler gibi miyim?" Kendini yeniden koyuvereceği sıra Erhan'ın eli bacaklarından ayrıldı. Kinli, istediğine karşı gelinmiş şımarık bir oğlan sesi duydu:

— Ne o, yoksa kız mısın?

Önce şaştı. "Ah, bu kadarı fazla..." İçinde yıkıcı, acı verici bir deprem başladı. Dönüp baktı. Şu yakışıklı erkek işte buydu. Artık tanıyordu onu. Şiirlerin, kitaplardan kapma büyük sözlerin yapma süsünden sıyrılmış; beylik yargılarla dolu, bayağı. Böyleleri için en önemlisi kızlıktı. Oysa B.'nin ona vermek istediği şeyin yanında kızlık neydi ki? Yarın gidip onların bu kızlık dedikleri şeyi tanımadığı bir erkeğe verecekti. (Hey gidi öfke, sen insan aklına daha saçma düşünceler bile getirebilirsin.) Yanındaki erkek bunu almanın sorumluluğundan korkar. Biliyor, korkaktır o. Ona sarılmaktan, onunla öpüşmekten tat aldı diye kendini hor gördü. "Bulaşık bezi. Vıcık vıcık..." Onların gözünde bütün kadınlar birdir. Amaçlarına götürmekteki başarısı denenmiş o pek rahat 'sıra'larını bozmazlar: Önce el tutulur, sonra öpülür, sonra memeler okşanır; en son etekliğin altı gelir. "Ben onun için yeni bir kobayım, bir deney hayvanı..." Birden suya düşmüş gibi üşüdü. Erhan kolunu uzatmış onu yeniden kucaklamak istiyordu. Oturduğu sandalyeyi çekti.

— Bırak, dedi.

Ne işi var burda? İşte üşümüş. Başı az az ağrıyor. Artık perdede konuşanların sesini, seyircilerin öksürüklerini duyuyor. Kalktı, paltosunu aldı.

— Gideceğim ben.

— Ama niye? Mantıksızlık bu.

— Olsun.

— Çıkalım öyleyse.

— Hayır, sen kal. Seninle çıkmak istemiyorum.

Biliyor, kalmayacak; o da onunla çıkmak isteyecek. "Bu korkağın anlayacağı dille konuşayım."

— Yalnız çıkmak istiyorum ben. Arkamdan gelmeğe kalkarsan bağırırım.

— Önemsiz bir söze... ('Şşşşt! Başka yere...') dedi seyircilerden biri. Paltosunu giydi, çıkarken Erhan yarı karanlıkta, gerçekten şaşırmış gibi oturuyordu. B. kapıyı kapadı. Karşıda yer gösteren kız hâlâ sakız çiğniyordu. Kendine bu ucuz batakhane rehberinin gözleriyle bakınca sarardı.

Cadde soğuktu, kalabalıktı. İçi bulanıyordu. Sanki dudaklarının derisi kabuk kabuk kalkmıştı. Yaladı; Ağacami'nin duvarı dibine tükürdü. Kusmaktan korktu. Geçenler ona bakıyorlardı. Yürüdü. "Bu caddenin elbet tenha olduğu zamanlar da vardır. Hiç görmedim ben. Kim bu insanlar? İşten mi dönüyorlar; eğlenceye mi gidiyorlar? Şu adamın burnu Gide'in burnuna benziyor. Ama nasıl da kasvetliler. Bunların içinde 'meçhul denizlerde balık' olmayı isteyen var mı acaba? Belki şu hep önüne bakan adam... Ne güzel okumuştu bu şiiri. Gözleri sulanmıştı. Yoksa kız mısın? Ya karşıki şaşı kadın, durmuş kimi bekliyor? Koş, bayım, koş; kaç bu caddeden. Yetişemeyecek. Evet, tramvay kalktı. Neyse, üzülme, bir başkası gelir alır seni. Ama şimdi koştun diye içinde bir utanma var değil mi? Taksim demişler buraya. Yollar ayrılıyor diyedir. Yoksa bu alanda kocaman bir adam büyük bir karatahtanın önünde halka dört işlemden 'bölme'yi mi öğretirdi? Dersi bizim Ahmet beyin dersi kadar sıkıcı mıydı? Ne der Güler: 'on birden on bir elliye, Ahmet beyin orda uyku kürü.' O gün kantinde Güler'e kaçamak bakıyordu. Aa! Emine yengem... Ama değil; o bu kadar boyanmaz. Hem ne arar burda? Mudanya'dadır. Bugün kimse gelmiyor arkamdan. Her sefer sinemadan döndüğüm yol değil mi bu? İşte Teknik-Ün-Verme okulu. Geçen defa ta evin önüne dek gelen sessiz, gözlüklü çocuk nerde? Yoksa farkındalar mı? (Bir daha tükürdü.) Bu merdivenlerden kayıp bir düşsem. Yoksa kız mısın? Elbet kızım. Yirmi iki yaşındayım. Neden 'her şeyin sırası vardır' dediği gün kalkıp gitmedim sanki? Güler'e de bakardı. Beni daha saf, daha kolay buldu herhalde. İyi. Uslanmam ben. Dolmabahçe. Artık eve geldik sayılır. Geç oldu ama. Saat... Altıya on var. Evdekiler şimdi meraklanıyorlardır. Koşamam ya. İçeri girdim mi üzüntüler unutulur. Annemin yüzü güler. Babam odadan '— Kim gelen?' diye sorar. '— B.' '— İyi, iyi.' Hepsi bu. Nerde kaldığımı bile sormazlar. Bu güvende sıkıcı, küçültücü bir şey var. Oysa biliyorum, babam üzülüyor. Saat beşi geçti mi aklına binbir kötü şey geliyor. Yine de 'Çocuklara güven ilkesi'nin dışına çıkmaz. Ah, babamın şu 'ilke'leri... Sonra odam: Masa, karyola, kitaplar. Benim inim. Bu gece bir kapansam oraya. Üzgünüm. Ama çok kalamam. Sami kapıyı yumruklar: 'Yemeğe, yemeğe.' Canım istemiyor desem başıma toplanırlar. Kadınların neden evlendiklerini anlıyorum: Yalnız kalabilmek için."

Sağında, Dolmabahçe'nin yüksek duvarları ardında bir vapur düdüğü öttü. Solundan ışıklı bir tramvay geçti. Karşıdan gelen bir adam yanından geçerken laf attı.

— Yavaş ol şekerim; bir yerini inciteceksin.

Bu külhanbeyi şakası üzüntüsüne bir havalanma deliği açtı. "Bugünkü benim son aldanışım olmayacak. İnsanlara güveniyorum." Eve varıncaya değin bu duyguyu içinde taşıdı.

6

Sol ayağını her basamağa atışında paltosunun sol cebindeki şarap şişesi 'klik' diye bir ses çıkarıyordu. Cepte unutulmuş bir gümüş lira olacaktı; öyle sanıyordu, ama merakını gidermek için yoklayamıyordu: Kucağında kesekâğıtları vardı. İkinci kat sahanlığında, karşı kapının aralığında duran bir kadın onu görünce çekildi. Kadın yarı çıplakmış gibi geldi ona, oysa giyinik olduğunu apaçık görmüştü. Yalnız baldırları çıplaktı. Akpak, dolgun. "Ayak seslerini duyunca aralamış kapıyı. Kocasını bekliyor bu." Klik! "Başkası olamaz mı? Ya evli değilse." Klik! "Öyleyse geleceğim deyip gelmeyen birisidir beklediği. Az sonra 'Vefasız' diye başlayan bir mektubun önüne oturur." Klik! Üçüncü katta kimse yoktu. "Burada hep iki çocuk olurdu. Çok soğuk bugün."

Klik! Dördüncü kat da öyle. Yalnız haşlanmış lahana kokusu vardı. Klik! "Çatla namussuz." Klik! "Şeytan at şu kucağındakileri, diyor, yokla cebini de rahatla." Atmadı.

Damın beton düzlüğüne kar yağıyordu: Esintisiz, ağır. Tutmuş. Ona bu aklığı gösteren belli belirsiz ışığın nerden geldiğini bilmiyordu. Bastığı yerin yumuşaklığı, bir de yüzüne değen serpintiler olmasa belki kar yağdığını bile anlayamazdı. Sol elinde yakıcı bir karıncalanma vardı. Soğuktan.

Atölyenin kapısını pabucunun burnuyla çaldı. Beklerken kafasında olanca hızıyla işleyen çıkrık yavaşladı, yavaşladı, durdu. (Evdeyken başlamıştı; birden, duvardaki resme bakınca. Atölyede onunla olmanın dayanılmaz isteği... Nasıl fırlamıştı evden... Asmalımescit'te almıştı alacağını. Etine mi koşuyorum onun, diyordu kendi kendine, yirmi yaş tutkularından biri mi bu? İçinden gelen sese uyuyordu yalnız. "— Sen misin? Unutmadın demek," diyecekti Ayşe kapıyı açınca. Ya da "— Siz miydiniz?") Buz gibi oluyordu her yanı. Dönebilirdi de; dönmedi.

Şimdi kuruntulardan arınmış, rahat. Onu bulamadığına seviniyor. Üzüleceğini sanırdı. Kendini tüyden yeğin buluyor. Dönüp gitmekten başka yapacağı yok. Değil, var bir şey. Şu basamaklar boyunca sol cebinden duyduğu 'klik' sesi kalıyor çözümlenecek. Kucağındaki kesekâğıtlarını kapının dibine bıraktı. Cebinden şişeyi çıkardı. Elini soktu: Bir anahtardı bu. Cebinin ılıklığında ısınmış ama elinin soğukluğunu, uyuşukluğunu daha çok duyuruyordu. Hatırladı: Ayşe vermişti bunu. Önünde durduğu kapının anahtarı. Şaşmadı. Anahtarın cebinde oluşu olağan bir şeydi. Çıkarken ivedi giydiği bu paltonun cebinde bulunması gerekiyordu; ötekilerden birinde değil. Tesadüfler isteğine uygundu. Girecekti. Merak ediyordu. İçerde büyük değişiklikler umuyordu. Son olarak ezgileri dinleyecek, tanıdık eşyaya eyvallah diyecekti.

Anahtarı kilide soktu. Birden kendi kapısını kapamadığı aklına geldi. Hırsız girse bile kitapları çalmazdı. Ötekiler umurunda değildi. Kapıyı itti. Yağlıboya kokan, bildik, ılık bir yel çarptı yüzüne. Kâğıtları aldı. Koyu karanlıkta ağır ağır belleğindeki masaya yürüdü. Eski yerindeydi. Elindekileri üstüne koydu. Işığı uyaracak düğmeyi bulmak için bir kibrit çaktı. Parmakları çöpü güç tutuyordu.

Işık yanınca çevresine baktı. "Bir değişiklik var burda." Sedir, masa, sandalyeler; soba, radyo, duvarlarda asılı resimler, sehpa hep bildiği yerlerindeydiler. Yalnız sehpanın üstü örtülüydü. Gitti sobaya baktı: Dibinde köz var. "Buradaymış bugün." İçine iki kürek kömür attı. Perdeleri kapadı. Eskiden bu kara perdelere baktıkça karartma kalıntısı diye düşünürdü. "Değişen eşyanın dostluğu." Musluğun üstündeki cam raftan bir bardak aldı. İki şişeyi de açtı. Elma, portakal soydu. "Onsuz ilk defa görüyorum burayı. Ya o, sarı bıyıklı oğlanla mı?" Sedirin, masanın kaygısızlığı arasında tedirgin, bardağı doldurdu; içti.

Şişenin biri bitince kalktı, pikabı işletti. Piyano özlediği ezgilere başladı. Sedire oturdu. Artık dış dünyanın sesleri duyulmuyor. Her şey kendi içinde oluyor. Bir gün bu ışıklı kıyıda, pırıl pırıl kumların üstünde durmuş muydu? Ya bu tanıyamadığı, sokaklarında güleç yüzlü insanlar dolaşan şehir nerde? Sonra yine o pırıl pırıl kıyı... Arkasından biri, 'Ben de varım' diyor. Ah, o birisi...

Piyano birden sustu. Gözlerini açtı. Kapalı camlar ardındaki gerçek şehrin keskinliğini yitirmiş seslerini yeniden duydu. Gitti pikabın düğmesini çevirdi. Sonra orta yerde duran sehpanın üstünden örtüyü çekti aldı. Odaya girdi gireli üstü örtülü tuvalde göreceği şeyi merak ediyordu. Boşsa oturup o gelinceye dek bekleyecekti. Oysa önünde bitmemiş bir resim duruyordu. O buna çalışırken belki sarı bıyıklı oğlan sedirdeydi. Gırtlağına bir şey tıkanmış gibiydi. Uzandı şarap bardağını aldı. "Neye yarar bu?" İçmeden bıraktı bardağı. Bir kâğıt parçasına "Yılbaşı kötü geçti. Payını bırakıyorum," diye yazdı. Masaya, şarap şişesinin yanına koydu. Duvardaki düğmeye doğru yürüdü. Tam çevirecekken döndü. Yazdığı kâğıdı alıp sobaya attı. "Alçak!" dedi kendi kendine; "Bıraktıkların yetmiyormuş gibi bir de kağıt karalıyorsun. Oysa bu işin bittiğini biliyorsun. Buraya bir kere gelmen gerekti. Ya yeniden başlayacaktı, ya bitecekti. İşte geldin, bitti. Hep onu bulursun diye korkuyordun, değil mi? Kıskanıyor musun? Durmadan seni mi düşünecekti ha, kendini beğenmiş?" Şişede kalan şarabı lavaboya döktü. Masadaki kalıntıları kâğıtlara topladı. İzini silmeye çalışıyordu ama faydasızdı, onun bu odaya girdiği belliydi. Işığı söndürdü. Çıktı. Kapıyı kilitleyip dönünce birden üstüne keskin bir ışık düştü. Yüreği çarptı. "O mu?"

— Ne yapıyorsun orda?

Anladı. Işığın arkasını göremiyordu ama seste bir katılık vardı. İkinci kattaki yarı çıplak kadın haber vermiş olacaktı. Yoksa beklediği bu polis miydi? Anahtarı gösterdi.

— Kapıyı kilitledim, dedi. Atölyenin sahibi arkadaşımdır. Yılbaşını birlikte geçirelim diye gelmiştim. Bekledim; gelmedi. Gidiyordum.

— Kâğıtlarda ne var?

— Kalıntılar bunlar. Süprüntü. Çöp tenekesine atacaktım.

— Bırak yere de aç.

Kâğıtları önüne koydu, yırttı. Işık indi. Kar parlıyordu. İki boş şişe, ekmek, peynir, salam parçaları, yemiş kabukları, soyulmadık portakallar, elmalar... Işık kalktı.

— Pekâlâ. Gidebilirsin.

Seste bir yumuşama vardı. Kâğıtları toplamak için eğildi.

— Bırak onları. Kalsın.

— Kapının önünde...

— Bırak dedik ya. Sen git. Ben atarım onları.

Yürüdü. "Yoksa? Olur mu? Portakalları..." Merdivenleri ağır ağır indi. İkinci kattaki kapı kapalıydı.

Dışarda çiğnenmemiş kar, üstüne bastıkça gıcırdıyordu. Kitapçının köşesinden tenha caddeye dönerken içinde bir boşluk vardı. Saatine baktı: Ona geliyordu. "Nereye gideceğim? Keşke polis kuşkulanıp karakola götürseydi beni. Değişik bir gece olurdu. Belki onu da bulup getirirlerdi. Birlikte çıkardık. Sonra, sıkıntı. O bitti. Haşet'te kitap arayacağım. Niye koşuyorsun? Davete geç mi kaldınız? Her zaman geç kalanlar bulunur. Hindi dolması daha bitmemiştir. Bu gece insanların hindi yemesi gerekir. Bulamayanlar üzülür. Yılbaşı hindisi... Ooooo! Eğlenmek de zorunludur bu gece. Sinemalar, tiyatrolar, barlar doludur. Evlerde toplantılar vardır. Küçük bir toplantı demişti avukat. Göz kırpmıştı. 'Neydi o yılbaşı gecesi donattığımız masa. Şu Mehmet bey ne şakacı adam. Kırdı geçirdi bizi. Ama karısı... Sorma kardeş.' Küçük kumarlarınız vardır. On kuruşluk tombalalar. Şimdi kim bilir kaç evde, kim bilir kaç kadının 'Aman ayol, bu ne kötü şans böyle,' sözüne karşılık kim bilir kaç erkek 'Üzülmeyin; kumarda kaybeden aşkta kazanır,' diyordur. Kim bilir kaç erkek de acele edip bu sözü ondan önce söyleyemediler diye onu kıskanıyordur. Biliyorum sizi. Küçük sürtünmelerle yetinirsiniz. Büyüklerinden korkarsınız. Akşamları elinizde paketlerle dönersiniz. Sizi bekleyenler vardır. Rahatsınız. Hem ne kolay rahatlıyorsunuz. İçinizde boşluklar yok. Neden ben de sizin gibi olamıyorum? Bir ben miyim düşünen? Bir ben miyim yalnız?" Yanından geçen kadına döndü:

— Merhaba, dedi.

Der demez pişman oldu. Kadın durmuş ona bakıyordu. Sol elini cebinden çıkarıp kulağını kaşıdı. Kadın,

— Sizi tanımıyorum, dedi.

Buna verilecek karşılık belliydi: "Öyleyse tanışalım," deyip kadının koluna girmesi, "Ne soğuk. Sıcak bir yere girip bir şeyler içsek," demesi gerekiyordu. Kolaylıklardı bunlar. Kadın bunları bekliyordu ondan. Oysa,

— Ben de, dedi.

Yürüdü. Böyle kurtuluş istemiyordu. Çok denemişti. On dakika sonra insan kendini daha da yalnız bulurdu. Balıkpazarı'na saptı.

Eve gitse, biliyordu, gece yarısına dek başka bir şey yapamadan, yukardakilerin patırtısına sövecekti. Bu sokakta kar artık gıcırdamıyordu. Bol gürültülü, bol dumanlı meyhanelerden birine girdi. Tezgâhın önünde bir boş yer bulup oturdu. Yaklaşan garsona,

— Şarap, dedi.

Garson, sanki salt onun için buradaymış gibi eğildi. Sanki ötekiler duyacak diye korkuyordu.

— Abi, dedi, bu gece hindi dolması da var.

7

Yirmi beş gün öğle sonları hep ayakları üşüdü. Sabahları atölyede Sami'ye poz veriyordu. Yemeği Beşiktaş'ta yiyor, sonra karda, yağmurda –çoğu karda, kimi gevşek kimi vıcık vıcık, kirli– yoruluncaya değin yürüyordu. Yoruldu mu yakın bir lokantaya, tatlıcıya ya da bir kahveye girip otururdu. İçerdekiler bu üşümüş, yorgun adama geçici bir hoşgörü ile bakarlardı. Isınırdı. İnsanlarla barışmak iyiydi. Böyle bir gün tatlıcıda bir kadınla tanıştı. Kadının çocuk gibi sık sık burnunu çekişi onu daha kadınlaştırıyor, hoşuna gidiyordu. Üç gün sürdü. Sık sık burnunu çekiyor diye kadını bıraktı.

Yirmi altıncı gün portresi bitti. Sami,

— Tamam. Gel gör istersen, deyince yerinden isteksiz kalkmıştı.

Alıştığı beziryağı kokusuyla birlik yitireceği sabahlar vardı önünde. Aylak adamın uzun, doldurulmaz sabahları korkunçtu. Kimi saatler bile önemliydi. Geçmek bilmez, uzun 'üç-dört dakika'lar yaşamıştı; biliyordu. İnsan sokak adlarıyla üç günden fazla uğraşamıyordu.

Sehpanın önünde durunca şaştı. Görmeye alıştığı portrelere benzemiyordu. Önce bir sol el gördü. Parmakları çevik, sinirli, tedirgin bir eldi bu. Kahverengi bir kulağa uzanmış ama daha yetişememiş; boşlukta. Bu çocuğun anlaması kabil miydi? Demek insanların huylarıyle ilgili asıl davranışlarındaki ayrılığın yalnız tiklerinde olduğunu biliyordu. Dönüp baktı. Ötekiler de ordaydılar. Konuşuyorlardı. Sami'nin elini tutup sıktı.

— Beni biliyorsun, dedi.

Ötekiler sustular. Birden sıktığı eli bıraktı. Kızardı. Yatılı okulda bir sabah dalgın, kendi erkekliğiyle oynarken bir arkadaşının, üstünden yorganı çekiverdiği andaki utanmaydı duyduğu. Artık uzun zaman buraya gelemeyecekti.

Paltosunu giyerken artan huzursuzluğu, dışarda, Maçka'ya doğru yol ortasında, kâğıda sarılı resim koltuğunda, çaresiz, delimsi duruverdiği zaman –yapılar, arabalar, insanlarla çevriliydi. Geçenler 'Bu adam bir şey unuttu; şimdi dönecek,' diye düşünmüşlerdir– dayanma sınırlarını zorlayınca arabaların tekerleklerine bakıp kısadan kurtuluşu düşündü. Yalnız yirmi beş günün üşümüşlüğü, yorgunluğu değildi. Askerden döneli, üç yıldır sürüyordu. Yoksa dünyada olmayanı mı arıyordu? İki yanına bakındı. Sağdaki kaldırımda duvara dayanmış büyük gözlü bir okul çocuğu ilgiyle ona bakıyordu. Gözlerini kırpmadan elindeki elmayı ısırdı. Ağzı sulandı. Yürüdü. Vardı işte. Çocuklar, elmalar vardı.

O gece karsız-yağmursuz bir yürüyüşten sonra eve dönüp odasındaki ışığı yakınca yine resmine baktı. (Ayıktı. Yılbaşı gecesinden beri içmiyordu. Bol dumanlı meyhaneden hindi dolması yüzünden kaçmıştı. Sıkıştıkça içkinin kurtarıcılığına dek düştüğü için hep kendinden utanırdı.) Ertesi gün sıkıcı bir sabahla başlayacaktı. Kim bilir, iç sıkıntısı olmasa, belki insanlar işe gitmeyi unuturlardı. 'İş avutur,' derdi babası. O böyle avuntu istemiyordu. Bir örnek yazılar yazmak, bir örnek dersler vermek, bir örnek çekiç sallamaktı onların iş dedikleri. Kornasını ötekilerden başka öttüren bir şoför, çekicini başka ahenkle sallayan bir demirci bile ikinci gün kendi kendini tekrarlıyordu. Yaşamanın amacı alışkanlıktı, rahatlıktı. Çoğunluk çabadan, yenilikten korkuyordu. Ne kolaydı onlara uymak! Gündüzleri bir okulda ders verir, geceleri sessiz, güzel kadınlarla yatardı istese. Çabasız. Ama biliyordu: Yetinemeyecekti. Başka şeyler gerekti. Güçlüğü umutsuzca zorlamak bile güzeldi. Duvardaki şu resmin nasıl yapıldığını görmüştü: Islık çalar gibi uzanan dudaklar, kırışan genç alın; uzun, umutsuz, koyu mavi bakışlar. Böylesi gerekti ona. Ama resim yapamazdı. Olsun! Yazacaktı. O gece yatar yatmaz uyudu.

Artık sabahları geç kalkıyordu. Mutfakta bir şeyler yiyip su içmek, ayakyoluna gitmek gibi zorunlu aralıklar da olmasa hava kararıncaya değin hiç kalkmayacağı masanın başına geçerdi. Saat beşten sonra herkes işten eve dönerken o evden çıkar, yakın lokantalardan birinde yemek yerdi. İlk günler yemeği yer yemez dönüyor, gece yarısına dek çalışıyordu. Güçtü, ama yılmıyordu. Bir cümle üstünde saatlerce durmak vardı: Kafasına yürüyenlerden birini seçmenin sorumluluğu vardı. Kelimelerin yetersizliğini öğreniyordu. Bazı günler sigara içtiğini küllüğün doluşundan anlardı. Acaba onun da alnı kırışıyor muydu?

Uyuyamadan yattığı yatağında kafası durmadan yazdıklarıyla uğraşırdı. Çoğu geceler, o gün üstünde en uzun durduğu cümle gelip onu bulurdu. Alışmayı anlıyordu. İşte insan beyni bile alışıyor, hep aynı şeyi tekrarlıyordu. Boyuna, "Karıncalar bilmeden severler," diyordu. Öte yanına dönüyor, kurtulamıyordu. "Uyumam gerek," diye düşündükçe kafası sanki "Olmaz!" diyordu, "Karıncalar bilmeden severler."

Bundan kurtulabilmek için geceleri yazmadı. Yemekten sonra tiyatroya, sinemaya gider; sokaklarda dolaşırdı. Nereye gitse hikâyesi onunla olurdu; ama dışarının etkisi de vardı. Arada unuttuğu oluyordu. Artık geceleri uyuyabiliyordu.

Dışardakilerden biri evinin kırk adım ilerisindeki köşede oturan dilenciydi. Adam üst üste beş gün orada oluyor, sonra iki gün kayboluyordu. Yalnız akşamları yemeğe giderken görüyordu onu, dönerken yerinde olmazdı. Tıraş zamanlarını şaşırdığı; yıkanmayı, Eleni kirlileri istemese çamaşır değiştirmeyi unutacağı ilk günler bile bu dilenciyi fark etmişti. Yazmaya başladığının üçüncü haftasında bir gün, üçüncü hikâyesinin sonlarına doğru "Bu kelimenin harfleriyle bir başkası da yapılabilir" cümlesini yazıp az önce aklında olan o kelimeyi bulamadığı, bulamadıkça sinirlendiği, içi bomboş kalıverdiği zaman (sol kulağının kaşıntısı, sokaktan geçen otomobilin sesi, merdivenlerdeki çocuk ağlaması hep o âna rastlamıştı) gene de bir saatten fazla masadan ayrılmamış, sonunda kalemi atıp pencereye yürüyünce dilenciyi bildiği köşeye yerleşirken görmüştü. Bir bakkalın dükkân açışı gibiydi. Sigarasından çektiği dumanın ciğerlerine inişini nicedir ilk defa orada duymuştu. Karşı apartmandan çıkan kadın, kaldırımın kıyısında bekleyen otomobile binip gitmişti. Güzeldi.

İki gün daha, öğle sonuna dek, güneşin büzdüğü bir karpuz kabuğu gibi kupkuru, masanın önünde oturdu. Ötekilerin de böyle kuruduğu olur muydu? Kendini hikâyesine veremiyordu. Sokağın, evin hayatını duyuyordu. Ne çok satıcı vardı! "Taaasiiiiriii" diye bağıran adam kim bilir ne satıyordu. Öğle sonları dilenci köşedeki yerini tutunca bir otomobil gelip karşı apartmanın önünde dururdu. Az sonra kadın çıkar, binip giderdi.

Üçüncü gün otomobil gidince dilenciye baktı. Sigara içiyordu; ama acayip bir içişti bu. Avcunda saklı sigarayı ağzına götürüp çekiyor, bakınıyor, dumanı yere yere üflüyordu. "Vay kerata, saklıyor! Yoksa sigara içen dilenciye para vermezler mi?.." Öğleyin odayı havalandırmıştı ama gene de sigara dumanıyla doluydu. Ağzının içi acıydı. Hiç yeri değilken kalorifer yakıcının aylığını arttırmayı düşündü. Tedirgindi. Dilenciye kızıyordu. Adam sigarasını atmış olacaktı. Geçenler avucuna para bırakıyordu. Birden anladı. Dilencinin niye beş gün gelip iki gün gelmediğini, niye hep bu vakit burada olduğunu artık biliyordu. Güldü. Yaman adamdı bu dilenci. İnsanların işten dönerken ucuza huzur satın aldıklarını biliyordu. Cumartesileri, pazarları gelmiyordu. Bugün neydi? Gün adlarıyla ilgisi yoktu. Onu üç gündür gördüğüne göre çarşamba olması gerekirdi. "Bir de sabahları gidip bir kız okulunun önünde dileniyorsa alnından öpecem onu. Yufka yüreklidirler. Ucuza numara alırlar." Kişioğlu böyleydi. Kimi dilenmek, kimi sadaka vermek zorundaydı. Demin otomobille giden kadın sıcak bir sevgiye değil, etini satmaya gitmişti. Artık her şeyi kötüye yoruyordu.

Gitti, masanın önünde durdu. İşte üç haftaya yakın seslendiğini sandığı insanlar bunlardı. İşini bilenler, sadaka vericiler, et alışverişçileri mi anlayacaktı onu? Elini yazdıklarının üstüne koydu. Almadı. Biliyordu. İlk hikâyesi, "Bir büyük şehrin gürültüsünde insan, kimseye sezdirmeden istediği zaman yellenebilir. O yellenemezdi," diye başlıyordu. Bu cümlede adamın bütün hayatının gizli olduğunu kim fark edecekti? Ya ikincisi, sık sık burnunu çeken kadının hikâyesi! Sonra yarıda kalan hikâye! Tiklerden bahsetmişti. Boynunu kütleten bir adam vardı. İyi ki bitmemişti. Onlar "Sonunda beni sürüklediği büyük felakete rağmen onun kollarına atıldığım gecenin tadını unutamıyorum," diye başlayan hikâyeler isterlerdi.

Bütün yazdıklarını acele etmeden, küçük küçük yırttı. Bu da bitmişti. Gene eskisi gibiydi. Yırtıkları toplayıp mutfaktaki çöp tenekesine attı. Dönünce pencereden baktı. Ordaydı. Bu dilenciye başka çeşit insanlar da olduğunu öğretecekti. Paltosunu giyince bir iki buçukluk çıkarıp dış cebine koydu. Çıktı.

Önce sağ kaldırımdan caddeye kadar yürüdü, geri dönüp ötekine geçti. Hava nerdeyse kararacaktı. Onu ancak yaklaştığı zaman gördü. Büyük çeneliydi. Çiçek bozuğuydu. Pek yaşlı sayılmazdı ama üstünde bir çökmüşlük vardı. "Bu adam eskiden hamallık yapmış. Yoksa dilenme alışkanlığı mı?" Önünde durdu. Az eğildi.

— Ahbap, bir sigara versene bana, dedi.

Adamın ona kaldırdığı yüzdeki şaşırmışlığı görünce sevindi. "Onu içerken gördüğümü biliyor. Sövüyordur şimdi." Dilencinin yüzü acındırmak isteyen bir gülüşle kırıştı.

— Sigara içmem ben beyim, dedi.

— Ya! Vah vah. Birden öyle sigara istedi ki canım, sorma. Bir tek sigaraya iki buçuk lira verirdim.

Sol elini cebinden çıkarıp iki buçukluğu salladı. Hep adamın kucağındaki morumsu ellerine bakıyordu. Ellerin dilini anlardı. Sağ el geriye doğru kasıldı. "Paketi sağ cebinde." El durdu. Gevşedi.

— Neyse, eyvallah!

Parayı cebine sokup yürüdü. Kendininkine değil, başka bir apartmanın kapı sokuntusuna çıkıp eğildi. Adam bakmıyordu. "Ne öğrettim ona? Dünyada tanımadığı bir deli daha olduğunu." Oysa adama, sigara içmenin dilencilere yasak olduğunu bilmeyen insanların da varlığını öğretmek istemişti. Bu gece dilenci, bir tanıdığına, 'Bugün delinin biri benden sigara istedi', diyecekti. Gene de merak ediyordu. Acaba yarın sabah bir kız okulunun önünde mi dilenecekti? Bekledi.

Adam meşin minderini paltosunun altına sokup caddeye doğru yürüyünce o da arkasına takıldı. Caddeyi geçtiler. Kurtuluş'tan yana saptılar. Herhalde aşağıda, dere boyundaki evlerden birinde oturuyordu. Yanından geçen bir kız yüzüne tatlı tatlı baktı. Dönmedi. Onun dilencisi vardı. Yavaş yürüyordu. İlerde, ışıklar seyrelince içinde bir kararsızlık başladı. Niye buralara gelmişti? Neden o deminki kızın ardından gitmemişti sanki? Adamın evini öğrenip de ne yapacaktı? Yarın sabah belki onunla birlik bir kız okulunun önünde duracaklardı. Sonra?.. Durdu. Dilenci yürüyordu. İlerde bir yan sokağa saptı.

Bildik gecelerden biriydi. Kulaklarında büyük şehrin uğultusu vardı. Belki arananın ayak sesleri de bu uğultunun içindeydi. Döndü. İnsanların, arabaların kaynaştığı büyük caddelerden yana yürüdü.

İLKYAZ

1

Günlerin adı, sürelerince yaşanılan olayların değerine göre değişebilir. Bugün, şimdilik "paltosunu ilk çıkardığı gün"dü, sonra "Güler'i ilk gördüğü gün" olacaktı. Güneşliydi, ılıktı. Karaköy'de, dörtyol kavşağındaki tatlıcıda, yanında oturduğu pencerenin önünden geçen insanların arasında ilk bakışta marangoz olduğu anlaşılabilecek bir adam arıyordu. Bazı günler terzi arardı. Bir keresinde terzidir dediği birine yetişip sormuş, zabıt kâtibi olduğunu öğrenmişti. Marangoz aramaktan bıkınca, küçük alanın ortasındaki trafik polisine bakmaya başladı. Düdük öttürüyor, değnek sallıyor; arabalar, tramvaylar birbirlerine değmeden vızır vızır geçiyorlardı. Adamın hareketleri ona gülünç geliyordu. Belki asık yüzlü oluşundandı. Neden insanlar durup gülmüyorlardı? Sevmedi onu. O olsa bir gün bir muziplik yapardı. Arabaları, tramvayları birbirine karıştırır, sonra gülerdi. Polis bunu yapacak adam değildi. Belki bu düzeni ancak düşlerinde bozardı.

Sonra köşeyi gördü. Bazen, görünür bir sebep olmadan, insana önünden geçtiği yapı, bir sokak köşesi, üstünde oturduğu sandalye hayatında önemli bir yer tutacakmış gibi gelir. İşte bu köşede bugün bir şeyler olacaktı. Artık hep oraya bakıyordu. Gelip geçenlere göre orası, şehirde binlercesi olan basbayağı bir yerdi. Yoksa o mu büyütüyordu? Orada geçebilecek her günlük bir olayı, içindeki önyargıyla değerlendirip olağanüstü bir şey mi sanacaktı? Konuşan iki adam ayrılmak üzereydiler. El sıkıştılar. "Çıkarın şapkalarınızı!" Çıkardılar. İnsanlardan yenilik beklemek saçmaydı. Şimdi köşede iki kız durmuş konuşuyorlardı. Ayakkapları topuksuzdu. Bak bu iyiydi. Yoksa?.. Yüreği çarptı. Birinin yağmurluğu devetüyü, öbürününki açık maviydi. İşte ayrılacaklardı. İçinden bağırdı: "Haydi, el sıkışın!" Kızlar öpüştüler.

Yerinden fırladı. Kapıdan çıkarken garsonun sesini duydu.

— Beyim, para! diyordu.

Elini cebine sokup ilk tuttuğu parayı çıkardı. Beşlikti. Buzdolabının üstüne bırakıp çıktı. Köşeye koşarken kızların ikisini de görüyordu. Devetüyü Yüksekkaldırım'dan, açık mavi Tophane'den yana yürüyordu. "Tanrım, hangisi?" Köşede bir an durdu. Sonra devetüyünün arkasından gitti. Her şey o bir anlık duruşta olup bitmişti. Gene yanıldı. Açık mavili B. idi. Onun arkasından gitseydi hikâye bitecekti. Ama o Güler'le gitti. Tesadüf mü? Değildi. Bu şehirde en sevmediği yer Tophane caddesiydi. Belki vapur düdüklerinin çağrısından korktuğu için, belki de bu yoldaki fakültede geçirdiği sıkıcı günlerin etkisiyle sevmiyordu. Oysa Yüksekkaldırım'ı severdi. Devetüyünün oradan çıkacağı umulurdu. Sonra Ayşe'ye gittiği günlerden kalma ayak alışkanlığı vardı. (Kişiyi habersiz yöneten alışkanlık...)

Yokuşu çıkarlarken, sağ ilerisindeki kızın düzgün kalçalarını görüyordu. Kara saçlıydı. Sol eliyle bir okul çantasını altından tutup kalçasına dayamıştı. Her zaman, önünde yürüyen kadının yüzünü görmeden, güzel olup olmadığını karşıdan gelen erkeklerin gözlerinden anlardı. Güzelse, onu geçtikten sonra dönüp bir daha bakarlardı. İşte şu kır saçlı adam bile dönüp bakmıştı. Bir eski kitapçı dükkânına girerken yüzünü gördü. Orada, bir şapkacı vitrininin önünde, şapkalara bakıyormuş gibi beklerken belki de hayatının ilk doğru tahminini yaptı: Kızın yüksekokul öğrencisi olduğunu bildi.

Yeniden yürümeye başladıkları zaman hep onun bacaklarına bakıyordu. Babası da öyleydi. Üstelik bıyıklarını burardı. Kulağını kaşıdı. Kız şimdi onun yürüdüğü kaldırımdaydı. Tam ötekine geçmeyi düşündüğü sıra Kuledibi'nden Şişhane'ye çıkan yola saptı. Bu yolu tanıyordu. Bugünün hep tuhaf tesadüflerle yüklü olduğunu düşünür düşünmez, içinde eskiden burada geçmiş, hatırlasa sevineceği bir şeyi unuttuğu duygusu belirdi. Hatırlayamıyordu. Bir gün canı sıkkın, tramvayla geçerken bu sokağı görmüş –öteki ucundaki yangın kulesiyle asfaltın zıtlığı avutacak gibiydi– ilk durakta inip ona gitmiş, ama hiçbir şey değişmemişti. Bu değildi. Unuttuğu bambaşka bir şeydi. Belki tramvaydan inip geldiği gün de aynı şeyi aramıştı. O zamanlar bu sokakta anlayamadığı, Yahudice sandığı bir dil konuşulurdu. Acaba gene öyle miydi? Yoksa burada mı oturuyordu? Ne olursa olsun onunla ilk konuşması bu sokakta olacaktı. Bugün değil, yarın yahut başka bir gün, ama ille bu sokakta konuşacaktı.

Top oynayan çocuklar vardı. Yüksek pencerelerin birinden bir kadın, karşı kaldırımdaki eli paketli kocakarıya bir şeyler anlatıyordu. Kadın gene o bilmediği dille bağırıyordu. Çocuklardan biri kızın arkasından bir Amerikan ıslığı çaldı. Bakmadı. Hiç bakmamıştı. Ama o biliyordu, bir gün baktıracaktı.

Sokağın bitiminde durdular. Kız bir tramvayla iki taksiye yol verip karşıya koştu. Kocaman yapılardan birinin kapısından girerken dönüp baktı. Tam o sıra yolun ışıkları yandı. Gördü mü? Bir açık kasanın ardından o da karşıya geçti. Ötekinin girdiği kapının üstüne baktı: "Yeşilzeytin Ap." yazılıydı. Çevresine bakındı. Karşıda bir kahve oluşu iyiydi. Yarın sabah bekleyecekti. Rahattı. Karnı acıkmıştı. Gece serin olacak gibiydi.

Ertesi sabah saat sekize doğru kahvedeydi. Pencereye yakın bir masaya oturdu. İçerdeki birkaç kişi arkada kaldılar. Bu vakit ne arıyorlardı burda? Çay istedi. Bitirince parayı tabağın kıyısına koydu. Kızın öğrenci olduğunu sanıyordu. Her an kapıdan çıkabilirdi. Hep oraya bakıyordu. Acaba hangi katta oturuyordu? Kapıdan eli çantalı bir adam, arkasından bir kadın çıktı. Nerdeyse odur diye kalkacaktı. Benziyordu ama değildi. Yürüyüşü başkaydı. İşte bu çıkan oydu. Kalktı. Kız o sokağa girince ardından gitti. Dün akşam geçtikleri yerlerden Karaköy'e indiler. Beşiktaş'a giden caddenin ucundaki durağa gelince durdular. Artık onu yakından görüyordu. Boyasızdı. Erkek bakışlarını kanıksamıştı da ondan mı bakmıyordu? Ama binecekleri tramvay yaklaşınca baktı. Yüzündeki ilgisizlik dağılır gibi oldu. Gözlerini kaçırıp bir daha baktı. Şaşmış gibiydi. "Birine benzetti beni." Tramvay durunca arka sahanlıktan bir kız,

— Güler! diye bağırdı.

Önündeki kız başını çevirip el salladı. "Demek Güler ha!" Adının bu olacağını sanmazdı. Gene de hoşlandı. İçeri girerkenki sıkışıklıkta az eğilip saçlarını kokladı. İyiydi: Sürmemişti.

İçerde bile bile onun uzağında durdu. Kalabalıktı. İnsan başlarının arasındaki boşluktan onu görüyordu. Arkadaşıyla konuşuyordu. İninceye değin bir kere bu boşlukta bakıştılar. Güler, onu arar gibi bakınmış, görünce birden öteye dönmüştü. Artık tramvayın sarsıntısıyle daralıp genişleyen boşlukta yalnız saçlarını görüyordu. Merak ediyordu: Ne renkti gözleri? Koyu mavi miydi, yoksa yeşil mi? Daha yakından baktığında öğrenecekti.

Fındıklı'da inenlerin çoğu öğrenciydi. O inmedi. Boşalan yerlerden birine oturdu. Tramvay kalkarken Güler, ötekilerin arasında fakültenin dış kapısından giriyordu. Oysa yedi yıl önce bu kapıdan çıkmıştı. Yedi yıl önce bambaşka bir insan olmalıydı. Buraya yazılmak için iyihal kâğıdı, sağlık raporu almış; koluna çiçek aşısı yaptırmıştı. Dört ay dayanabildi. Hep canı sıkılırdı. Acaba o yaşlı hoca daha sağ mıydı?

— Biletsiz! dedi biletçi.

Kalktı. Biletçiye para verdi. İlk durakta inip deniz kıyısında bir yere gidecekti.

Öğleden sonra gene o dünkü tatlıcıdaydı. Oturur oturmaz noktadaki trafik polisini gördü. Dünkü müydü? Belki değildi ama aralarında hiç ayrılık yoktu. Durmadan aynı hareketleri yapıyordu. Bu şehirde ne çok insan vardı! Acaba geçenlerden birini eskiden görmüş müydü? Örneğin şu kara paltoluyu... Sanmıyordu. "Bu havada palto! Hasta mı? Çalışırken fenalaştı da evine mi dönüyor? Ne iş yapar? Banka memuru mu?" Herkesin bir işi oluşu tuhaftı. Daha tuhafı önünden bir geçen bir daha geçmiyordu. Ya Güler? Köşeye baktı. Onu adıyla düşünmek hoştu. Belki köşeye varmadan görecekti. En geç beş buçukta umuyordu. Garsonu çağırıp içtiği soğuk sütün parasını verdi. Dünkü gibi arkasından bağrılsın istemiyordu.

Tatlıcının saati beş buçuğu gösterince umudu kesinliğini yitirir gibi oldu. Başka yoldan mı gitmişti? Son dersten beşe on kala çıkarlardı. Arkadaşlarıyla biraz çene çalsa da şimdiye değin gelmesi gerekirdi. Ya bir tramvay kaçırdıysa? Bir çeyrek daha bekleyecekti. Yollar kalabalıktı. Baktığı yeri gözlerinden en uzun sakladıkları için en çok Bebek tramvaylarına kızıyordu. Devetüyü paltolu bir kadın görünce yüreği çarptı; ama o değildi. Şapkalıydı. Kalktı. Kapıya yürürken duvardaki takvimi gördü. 27 Mart

Cumartesi yazılıydı. 27'nin yarısı kara yarısı kırmızıydı. Rahatladı. İşte boşuna beklemişti. İnsanların düzeninde bütün ayrıntılar önemliydi. Günlerin adı bile... Bugünün cumartesi olduğunu bilseydi saat birde onu görürdü.

Yüksekkaldırım'ın bu kadar kalabalık olduğunu hiç görmemişti. Gidip o kahvede Güler'i bekleyecekti. "Neden içimde bu istek? Belki yemekten sonra evcek sinemaya giderlerdi. O da arkalarında bir yere oturur onu seyrederdi. Kuledibi'nden sokağa saptı. İçinde her şeyin isteğine uygun geçeceği duygusu vardı. Sokaktan çıkıp kahveye doğru yürürken onu gördü. Ummuyordu. Kaldırımın kıyısında durdu. Geçen tramvaydan inmiş olacaktı. Apartmanın kapısına yaklaşıyordu.

Birden o "büyük şehir gıcırtısı" dediği sesi duydu. Yüzü buruştu. Her duyuşunda böyle olurdu. Otomobillerden biri durmuş, arkasında bir şey –kedi mi?– debeleniyordu. Sonra orayı yayalar sardılar. Göz ucuyla görüyordu bunları. Hep Güler'e bakıyordu. Gıcırtıyla birlik dönmüş, ötekiler toplanınca o da otomobilin arkasına yürümüştü. Şimdi Güler de onlardandı.

Orada, kaldırımın kıyısında ondan ilk defa kuşkulandı. Yoksa değil miydi? Neden dönüp ne olduğunu anlayınca eve girmemişti? "Gözleri sulandıysa o değildir." Basıp giderim. Karşıya koştu. Önce yanında durduğu adamın ensesindeki uru gördü; sonra Güler'i.

(— Sanki bile bile attı kendini hayvancık.

— Hep hızlı gitmekten!

— Değil vallahi. Her zamanki gibi gidiyordum. Birden atladı. Bastım frene. Ama kurtulamadı.)

Gözleri sulanmamıştı. Yanındaki adama dik dik bakıyordu. "Sıkıştırdı mı yoksa?"

(— Anne, arkasındakiler ne?

— Barsakları oğlum. Bakma sakın!)

İşte geriye çekiliyordu. "Gidecek mi?" Sağ eliyle otomobilin arkasına dayandı.

(— Yanına baksaydın...

— Nasıl bakarsın bayım! Biz önümüzdeki arabalara bakarız. Bir de göz ucuyla insanlara. Her şeyi birden görmeye kalkarsak hiçbir şey göremeyiz.)

Üzülüyor diye herkes şoförden memnundu. 'Ne olmuş be, hayvan değil mi bu?' dese belki karakolda çözümlenecek bir karışıklık çıkabilirdi. Sonra Güler onu gördü.

(— Haydi dağılın bakalım. Nerdeyse yol tıkanacak!)

Gözleri büyür gibi oldu. "Tanıdı beni. Şaşıyor bu karşılaşmaya. Koyu mavi mi?" Alacakaranlıktı. Göremedi. Kalabalık birer ikişer dağılıyordu.

(— Haydi baylar, dağılın dedik ya! Kedi ezilmiş işte. Gördünüz. Çarpılırsanız karışmam.)

Karşısındaki adam göğsünü elledi. "Artık bakmasa!" Böyle giderse bir saçmalık yapacaktı. Sol eliyle önündeki çamurluğu sıktı. Güler birden dönüp yürüdü. Kapıdan girerken duraksadı; ama bakmadı.

(— Buraları hayvan yaşayacak yer değil.

— Kedi çiğnemek uğursuzluk getirir.)

Şoför eğilmiş, yerdeki kedi leşini gazeteye sarıyordu. Arka kapağı açıp paketi koyunca ona yaklaştı.

— Boş musun?

— Boşum.

İçeri girdiler. Şoför motoru çalıştırınca sordu:

— Nereye abi?

— Çek... "Nereye desem? Uzakça olsun." Mirgün'e, dedi.

Araba kalktı. Ağır gidiyorlardı. Tepebaşı'nda şoförün sesini duydu.

— Siz de gördünüz mü bayım? diyordu.

— Neyi?

— Kediyi canım. Beş senedir kullanırım bunu. Hiç başıma gelmemişti. Bizimki hep 'tahtaya vur' der. Aldırmam ben. Demin o şiş enseli adam da diyordu. Kedi çiğnemek uğursuzluk getirirmiş. Ne dersiniz?

— Bilmem, dedi.

Mirgün'e dek bu adamı dinleyecekti. Dayanamazdı. "Ne bok yemeğe bindim buna?" Osmanbey'de arabayı durdurup indi.

Pazar günü Güler'i göremedi. Bir saat beklemiş, sinemaya gider diye ummuştu. Olmadı. Pazartesi sabahı onu evinden çıkarken gördü. Kahveden yana baksa Güler de onu görecekti. Önünden geçip gitti. Kalkmadı. Akşamüstü onu fakültenin önünde bulacaktı. Şimdi gidip saç tıraşı olacak, yıkanacaktı.

Dışarda sıra beklemeden koltuğuna oturabileceği bir berber dükkânı aradı. Tepebaşı'nda bir yere girdi. Oturur oturmaz aynadaki suratına baktı. İşte Güler'in gördüğü de buydu. Kolejde boks yaptığı zamandan kalma, burnundaki belli belirsiz iz, sanki bugün daha kızarmış gibiydi. Berber boynuna pamuk sıkıştırıyordu. Bitirince sordu:

— Nerede tıraş olursunuz beyim?

Tümü de bu dümeni kullanırdı. Hiçbiri ondan öncekini beğenmezdi. Bir kere salt konuşmaktan kurtulmak için İngilizce bir şeyler geveleyince, herif yarı Türkçe yarı el işareti acayip bir şaklabanlığa başlamış, sonunda fazladan iki buçuk lirasını almıştı. Pantolon cebinden bir lira çıkarıp masanın ucuna koydu.

— Tıraş bitinceye kadar konuşmazsan bu teklik senin olur; konuşursan geri alırım, dedi.

Öteki koltuktaki adamın gülerken dudağı kesildi. Berberin neşesi kaçtı ama o rahattı. Tıraş bitince eve gidip yıkandı. Yıkanmazsa boyuna kaşınırdı.

Akşamüstü Fındıklı'da, önünde durduğu kunduracı vitrininin yarı-aynalaşan camında, kendini böyle pırıl pırıl görünce irkildi. Tüm bu tıraşlar, bu yıkanmalar, bu saç yatırma uğraşları salt bugün onunla konuşacağı için miydi? Bilinçsiz biri olduğundan başka görünme isteği miydi bu? Başkalarında en çok iğrendiğini yapmıştı. Elini yüzünde gezdirdi; kulağını kaşıdı. Belki bu da babadan kalmaydı. İnsanlara bütün çıkış kapıları kapalıydı. Kişi bilmeden de yapıyordu. Fakülte kapısından çıkanlar vardı. Durağa yürüdü. "Görmeden gitsem!" Bu daha kötüydü. Sırtını beton sıvaya dayadı. Bir sigara yaktı. Durak gittikçe kalabalıklaşıyordu. Eminönü tramvayı çoğunu alıp götürdü ama yeni gelenler vardı. Birden yolun ortasında Güler'i kendine bakarken gördü. Bir kızla bir erkeğin arasındaydı. Yakınında durdular. Çocuğun iki günlük sakalını kıskandı. Gözlüklüydü.

(— En güzeli bugünkü soneydi. Ne yapiyim, sevemiyorum 'King Lear'i.

— Anlamıyorum nasıl...

— İşte geliyor. Hangisi acaba?

— Aksaray.

— Neyse, bekletmedi.)

Tramvaya onların arkasından bindi. Güler'in bakışı onu aradı, buldu. "Bakma bana kızım, görüyorsun, hamam oğlanları gibiyim. İş yok bende. Sen o yanındaki gözlüklüye bak." Oysa Güler onun bir yakını olmadığını göstermek istiyordu. Çocuk kızların biletini de almak isteyince Güler'in kaşları çatıldı. Öteki büzülür gibi oldu. "İçleniyordur şimdi. Kırık. Derslerde yakınına oturmak ister. Hep bakar, bakar. Umutsuz. Cebinde çakısı vardır. Kalemini açmak ister. Neydi o kızın adı? Aysel mi, Ayfer mi? Bir gün o korkunç yürüyüşle bana gelmiş, kalemini uzatmıştı. '— Şunu açar mısın?' '— Bas!' demiştim yalnız. Nasıl şaşırmıştı! Kızlar benden korkarlardı. Oysa o yıl iyihal kâğıdı çıkartmıştım. Hep o yuvarlak yüzlü kızı merak ederdim. Bakmazdı. İnce uzun çocukla birlikte gelip birlikte giderlerdi. Yetiyorlardı. Sanki çevreleri yoktu. Acaba gene öyle midirler? Niye olmasın! Acaba Güler erkeklere kalem açtıranlardan mı? Sanmam. Boyasız o, topuksuz."

Karaköy'de indiler. Güler köşede yarı dönüp ona baktı. Az sonra o sokakta onunla konuşacaktı. Olmadı. Güler sokağa sapmadan yürüdü. Şaşırdı. Uğrayacağı bir yer mi vardı? Merak ediyordu. Tünel'i geçip, kalabalıktan, gürültüden kurtulunca onu, insanların önce özene bezene yaptıkları, sonra beğenmeyip bıraktıkları bir yer duygusunu veren tenha sokakta yürürlerken anladı. Güler ona bakmış, yavaşlamıştı. Demek burada konuşmak istiyordu. İlk konuşmaları onun seçtiği sokakta olacaktı. Tepebaşı'ndan Tozkoparan'a çıktılar. Artık hızlı yürüyordu. Apartmanın kapısından girerken dönüp baktı.

Ertesi gün de konuşmadı. Bir gün önceki yerlerden geçtiler. Çarşamba günü –işte günlerin adını biliyordu– Güler, Yüksekkaldırım'dan o sokağa gene sapmayınca sanki sevinir gibi oldu. "Bitecek diye mi korkuyorum?" Acelesi yoktu. Günlerin dolu dolu oluşu iyiydi. İki gündür sabahları, kahvenin penceresinden onu okula giderken görüyor; akşamüstü fakültenin önündeki durakta buluyordu. Karaköy'den sonra bu yürüyüş başlıyordu. Bu akşam uzayacak gibiydi. Güler sağdaki sokaklardan birine sapmış, onu şimdiye dek hiç geçmediği yerlerden götürüyordu. Sessiz bir yerde durdu. O da durdu. "Bıktıracağım kızı. Yarın oraya döndürmenin bir kolayını bulurum." Sonra döne dolaşa Tünel'e çıktılar. Güler Daire'ye giden merdivenlerden kuş gibi indi. O yukarda kaldı. "Kızım benim, hiç mi topuğunu ayakkabı vurmadı senin?" İlk düzlükte durup, yüzünü ona kaldırdı. Aralarında yirmi-otuz ayak basamak vardı. Kimseler yoktu. Yalnız bir kocakarı, aşağılardan, her basamakta dura dura çıkıyordu. Dayanamayacaktı. Bu yüzün, o koltuk altındaki kılları keserken nasıl kırışacağını düşünmek istedi. Olmuyordu. Bozamıyordu onu. Birden,

— Yarın! diye bağırdı. Yarın!

2

Sevgili B.,

Eve gelince mektubunu verdiler. Nasıl sevindim bilsen. Hemen yazıyorum. Adresini bilseydim iki gün önce yazacaktım. Sen gideli bana bir şeyler oluyor. Kimselere açamıyorum. Senin burada olmanı istiyorum. Görüyorsun bencilim. Sana unutmak istediklerini hatırlacağımı bile bile daha da yazacağım.

Gittiğin kasabayı merak ediyorum. Değil, daha çok senin orada ne yapacağını... İki sabahtır araba tekerleklerinin gürültüsüyle uyanıyorum, sonra o büyük suskunluk diyorsun. Alışacaksın. Bir sabah araba seslerini duymayacaksın. Buraya taşındığımızda ben de öyleydim. Bu akşam eski sokağımızdan geçtim. Evin karşısında durdum. O uzakta durdu. Gene konuşmadı. Orada, çocukluğumun sokağında konuşacağız diyordum. Üç gündür fakülteden eve varıncaya değin hep arkamda. Neden konuşmuyor, bilmiyorum. Kimden bahsediyor bu, diyorsundur. Anlatacam.

Onu ilk defa cumartesi sabahı Karaköy'de tramvay beklerken gördüm. Duymak istemediğin adı buraya yazacağım için bağışla beni: Erhan'a benziyordu. Ama daha yaşlı gösteriyordu. Ona benzemeseydi belki yüzünün biçimini unutur, aynı günün akşamı, tam bizim kapının önünde bir taksinin ezdiği kediyi seyreden kalabalığın kıyısında –yanımdaki adamın acayip kokusundan çekilmiştim– onu bana bakarken gördüğüm zaman o kadar şaşmazdım. Tedirgin bir bakışı vardı. Kapıdan girerken ilk düşüncem artık oturduğum yeri bildiğiydi.

Pazartesi günü akşamüstü fakültenin karşısındaki duraktaydı. Tesadüf olamazdı. Akademi öğrencisi sanıyordum. Nasıl olmuş da bugüne dek görmemiştim! Nihat'la Meliha vardı yanımda. Aynı tramvaya bindik. Neden erkek bakışlarını kışkırtırız? Nihat'ı bilirsin; onun bakışlarından ordaki kadar hiç sıkılmamıştım. Bir de bilet almaya kalkmaz mı? Neyse, indiğim zaman arkamdaydı. Konuşacak diyordum. Tenha sokaklardan geçtim. Konuşmadı. Dün de öyle. Bugün de. Bilirsin, salıları ders üçte biter; çarşamba öğle sonu hiç yoktur. Ben elimdeki kitabı okuyormuşum gibi yapıp seminerin penceresinden durağı gözetliyorum. Dört buçuk sıraları geliyor. Seviniyorum. Bugün diyorum. Olmuyor. Üzgünüm. Dün gece Gülfer, "— Vah canım, seni de üzenler mi olacaktı?" demesin mi! Nasıl kızdım. Sevmiyorum onu. İşte söylüyorum. Kardeşimmiş; olsun! Hep danslarda. Rahat ama. En çok babama şaşıyorum. Nasıl bırakıyor! Bir yıldır değişti. Annem bildiğin gibi, aldırmaz; varsa yoksa babam. Bu kuşatkan, bencil sevgi mi değiştirdi babamı?

Ah, işte hep kendim, hep çevrem! Ya sen B., sen ne yapacaksın orda? Dayını, yengeni anlat bana. Çocukları var mı? Seni o kasabada düşünmek ne saçma! Burada olsaydın, üç-dört gündür olanlar beni böyle şaşırtmazdı sanıyorum. Az önce Tünel'den Daire'ye inen merdivenlerin ortasında durup ona baktığım zaman, "— Yarın!" dedi. Yarın ne olacak? Sevgi dedikleri bu iç karışıklığı, bu özlem mi yoksa? Nazım'la böyle olmazdı. Ben yönetirdim. Üzgünüm. Haydi uzat ellerini, somurttuğum zamanlar yaptığın gibi, yanaklarımı tutup ger de güleyim.

G. T.

3

O sabah kahveci çayını ona sormadan getirdi. Demek müşteri olmak için altı gün yetiyordu. Yemek yediği lokantalarda garson, "— Ali beyin çorbası!" "— Ver Ahmet beyin bayıldısını." diye bağırdıkça şaşardı. İnsanları hep aynı yere çeken neydi? Kahveciye kızdı. Onda müşteri olacak surat var mıydı? Bir daha buraya gelmeyecekti.

Dışarda yağmur yağıyordu. Sigarasını yakarken apartmanın kapısında onu gördü. Az durmuş, başlığını kaldırıp her sabah geçtiği sokaktan yana yürümüştü. "Neden durağa gitmiyor?

Ayakları ıslanacak. Bu kahrolası tramvaylar, otomobiller sürüsünde ona yer yok mu?" Nerdeyse onu okuluna bir taksiyle götürmeğe kalkacaktı. Birden parası olmadığını hatırladı. Dün gece yediği yemeğin parasını verince iki buçuk lirası kaldığını fark etmişti. İşte ak akça en gerektiği anda olmuyordu. Ayakları ıslanacaktı. Elindeki izmariti tablaya bastırdı. Bir sigara daha yaktı. Pencerenin ötesindeki puslu yoldan geçen taşıtları tıklım tıklım dolduranlar, çelik takırtısının insan sesini boğduğu fabrikalara, derin, karanlık maden kuyularına gidiyor gibiydiler. Tıkanıktılar. Bezgindiler. Güneş çıksa, yıkanmış taşlarda bir ışısa... Yoksa bu yağmur akşamüstü de yağacak mıydı?

Önündeki masada duran boş bardağı almaya uzanan eli görünce şaştı: Altı parmaklıydı. Başparmağa bitişik bir küçük, bir lüzumsuz parmağı daha vardı. İlerde, bu altıncı parmağın hikâyesini yazacaktı. Kahvecinin sesini duydu:

— Yenisiniz galiba beyim.

— Evet, dedi düşünmeden.

— Hangisinde çalışıyorsunuz?

Bu adam neden bahsediyordu? "Ne demeli şimdi?"

— En yakınında, dedi.

Kahveci biraz düşündü. Başını salladı.

— En iyisi de odur, dedi.

Ocağa doğru yürüdü. Bu 'En iyisi'nin ne olduğunu hiç öğrenemeyecekti. Merak bile etmiyordu. Yağmur dinince çıkacak, bankaya gidecekti. Az sonra kahveci yanına gelmiş,

— Saat dokuz beyim, diyordu.

Başını çevirdi. "Eee, ne olmuş dokuzsa!" Geç anladı. Kalktı. Adam onu çalıştığı işe gönderiyordu. Salt bir eli altı parmaklı diye mi kızmadı ona. Bilmiyordu.

Yılda üç-dört kere ayaklarının böyle geriye geriye gittiği olurdu. Bugün üstelik yağmur yağıyordu. Dükkân saçaklarının altından yürüyordu. Bankaya yakın yağmur dindi. İçerde sıra beklemeler, imzalar, "şuraya lütfen"ler olurdu. Sıkılırdı. Yalnız bu muydu? Ya ordakilerin arasındayken duyduğu, elini paraya uzattıkça artan o utanca benzer duygu? Kulağını kaşıdı. Ensesine saçaktan bir damla su düştü. Taş basamakları koşarak çıktı. Kapıyı itip girdi.

Her sefer, önce yazı makinelerinin bu korkunç tıkırtısını duyardı. Birbirine çarpan çeliklerin sesini andırıyordu. Sonra başka sesler de ayrılırdı: Kâğıt hışırtısı, konuşmalar, sandalye gıcırtıları. Bodur sütunlu, kocaman salonda çalışanlara baktı. Yoksa sağır mıydılar? Banklardan birinin önünde durunca "şuraya lütfen"ler başladı. İçinden hep "şimdi bitecek" diyordu. Veznenin deliği önünde parayı sayan, her gelişinde bir daha göremeyeceğini sandığı o yaşı belirsiz, gözlüklü adamdı.

"Merhaba sokak!" O yokken güneş çıkmıştı. Karşı duvardaki afiş, "Boş yere azap çekmeyin. Bir DERMAN için" diyordu. Üstündeki kadın yüzünün yarısı yoktu. "Dermanım kesildi, in kucağımdan da biraz yürü," demişti. Kim...

— Ateşiniz var mı abi?

Kara saçlı bir çocuktu. Bir kibrit çakıp uzattı. Ellerine eğilip sigarasını yaktı. Okuldan mı kaçmıştı? Soracağı sıra çocuk:

— Eyvallah, deyip yürüdü.

Birden Güler'i hatırladı. Sanki onu çoktan beri düşünmemiş gibiydi. Tünel'e çıkan merdivenlere doğru yürüdü. Dün akşam onun kendisine baktığı yerde durdu. "Orada, yukardaydım. Beni nasıl görüyordu acaba? 'Yarın' demiştim. Bugün öğreneceğim." Kalan basamakları çıkarken saydı: Yirmi iki ayaktı. Haşet'e uğrayıp kitap arayacaktı.

Öğleyin, Tepebaşı'nda lokantadan çıkıp durağa gelir gelmez işittiği bir çatana düdüğü, ona köprü altının Haliç'e bakan kıyısındaki o kahveyi hatırlattı. Karşı durağa geçti. Orada bu düdük daha acı öterdi. İlk gelen tramvaya bindi. Cebinde D. Thomas'ın hikâyeleri vardı. Merak ediyordu. Orda da okuyabilirdi.

Kadıköy İskelesi'nde indi. Tam köprünün altında bir adam balık avlıyordu. Omuzsuz gibiydi. Sağa döndü. Masaların ikisi de boştu. Boyasız, tahta iskemleye oturdu. Küçücük kahveye çımacılar, hamallar, sandalcılar girer çıkardı. Geçen yıl Laura ile oturdukları masa bu değil miydi? Kız, sandalcıların bakışından korkmuştu.

— Buyurun?

— Kahve. Orta şekerli olsun.

Kitabını çıkardı. Belki Laura Amerika'ya gitmişti. Belki şu anda dilinden düşürmediği o gölün kıyısındaydı. "Ooo my

Erie!" "Ama orada daha sabahtır." Cleveland'lıydı. Kahveci, fincanı masanın üstüne bıraktı. "Salt et. Hold me honey. Büyük kalçalı." Kahveden bir yudum içti. "Az kıllı bacaklar. Bir kere bu kılları çekmiştim. 'Oooy, are you crazy!' Neden kadınlar bana hep, 'Deli misin' derler?" Güldü. Bir sigara yaktı. Önce hikâyelerin adlarına baktı. Şehrin en gürültülü yerindeydi. Denizin üstü bile doluydu. Ama okumaya başlayınca duymadı.

Gene de kendi içinin derinlerine sinmiş dağınık, dikkatsiz bir başka kişi, sanki kitap okuyanla ilgisiz, masanın üstünde durmadan ilerleyen güneş çizgisini, öbür masaya oturup kalkan insanları, geçen kayıkları yarı-görüyor, yukardan geçen arabaların köprünün ek yerinde çıkardıkları trak trak sesini –eskiden bu iki 'trak' arasındaki zaman süresinden arabanın hızını anlardı– en çoğu bu sesi işitiyor, okuyanın zaman bilincini büsbütün yitirmesine engel oluyordu. Sabahları geç kalkmaya alışmış bir insan, bir gece yatarken, "Yarın erken kalkmam gerek" diye düşünüp ertesi sabah istediği vakitte uyanınca nasıl şaşarsa o da saatine bakınca öyle şaştı. Dörde beş vardı.

Beşe beş kala –saati, önünde sık sık eliyle saçlarını düzelten kızın kolunda görmüştü– Güler'le aynı tramvayda gidiyorlardı. Biliyordu: Ona bir şeyler anlatan arkadaşını dinlemiyordu. "Neden umutsuz bakıyor bana? Yoksa dün akşam içimden mi bağırdım?" Üç kişinin arkalarına sürtünerek onun yanına vardı. Güler'in bir eli tavandan sarkan kayışta, öbürü kalçasına bastırdığı çantasındaydı. Dün gece dörde katladığı küçük kâğıdı cebinden çıkarıp, çabucak, elin ayasıyla çantanın derisi arasına sıkıştırdı. Göğsüne değen koldan çekilip bu elin yapacağını görmek istedi ama göremedi. Çantayı önüne kaydırmış, arkadaşına, "Güle güle!" deyip ön kapıdan yana yürümüştü.

Az sonra yokuşu çıkarlarken kendi budalalığına şaşıyordu. Kâğıdı alır almaz okuyacağını sanmıştı. "Okumayacak. Kendiliğinden dönmez mi oraya? Hayır. İşte geçiyor." Birden hızlanıp ona yetişti. Koluna değdi, durdurdu. Koyu maviydi.

— Neden bu... (Sesinin böyle tarazlı oluşu tuhaftı. "Kahve. Orta şekerli olsun" diyeli beri ağzını açmamıştı da ondan mıydı?) Neden bu sokaktan geçmiyorsunuz?

— Bilmem ki...

— Gelin, ordan gidelim.

Yan yana ilk yürüyüşleriydi. Galata kulesini geçtiler. Bir şeyler söylemeliydi. Öksürdü. Kafasında, "Sabahki yağmurdan sonra bu hava ne hoş, değil mi?" cümlesi kuruluydu. İlle havadan mı bahsedecekti? Bu cümleyi söylemeyecekti; ama kafası tutuk, tıkanık gibiydi. Sanki bunu söylemeden önce başka bir şey diyemeyecekti. İçini bir umutsuzluk sardı. Yanındaki kızın ayakkaplarına baktı. Kahverengiydiler. Birden ferahladı.

— Bu sabah ayaklarınız ıslandı, dedi.

— Islandı mı? Fark etmedim ben. Yağmurda yürümeyi severim. (Az durdu.) Siz nereden gördünüz?

— Gördüm. Dört gündür sabahları da görüyorum sizi. Evden çıkarken. (Artık kolaydı. Sesi kelimelere tıpatıp uygundu. Yüzünü yandan görüyordu. Güler ona baktı.) Biliyorum, daha önce konuşmadım diye şaşıyorsunuz. Burada olsun istiyordum. Ne var burada? Daha iyi olacaktı. O gün bu sokakta arkanızdan yürürken bana öyle geldi.

Sokak bitince ikisi de, "Eee, şimdi!" der gibi durdular. "Bir daha ne zaman buluşacağımızı sormam gerek galiba." Burnuna bakıyordu. İnsan burnunun da güzel olabileceğini hiç düşünmemişti.

— En gücünü atlattık, dedi.

— Anlamadım.

— En gücünü, ilk konuşmayı... (Sesi hızlandı.) Eve gideceksiniz değil mi? Vazgeçin, biraz uzatalım bunu. Daha erken sayılır. Var mısınız, gidip asfalttaki sıralardan birine oturalım?

— Varım, dedi gülerek.

Karşıya koştular. Az sonra Kasımpaşa'ya doğru sarkan uçurumun kıyısında yürüyorlardı. Dönüp dönüp Haliç'e bakıyordu. Güler:

— Işıklar yanınca daha da güzelleşir, dedi.

— Bu yolu sever misiniz?

— Çok. Bazen elimde bir kitap bir sıraya otururum. Ama rahat bırakmazlar. Ne çok delikanlı vardır burda bilseniz. Laf atarlar. O zaman insana dünyada en kötü şey kadın yaratılmakmış gibi gelir.

Boş bir sıra bulup oturdular. Güler'in çantası aralarında kaldı.

— En kötüsü güzel burunlu yaratılmaktır. Adınız Güler, değil mi?

— Ben daha sizinkini bilmiyorum.

— Öğreneceksiniz. Bence insanın adı onunla en az ilgili olan yanıdır. Doğar doğmaz, o bilmeden başkaları veriyor. Ama yapışıp kalıyor ona. Onsuz olamıyor. (Sustu. Bir sigara yaktı.) Bakın, şimdi adımdan daha önemli bir şey biliyorsunuz: Sigara içtiğimi. İşte bir başkası: Bütün bu "siz"ler, "iz"ler, "uz"lardan sıkılırım ben. Yapmacık, fazlalık gibi gelirler bana. İkinci konuşmamda 'sen' diyemeyeceğim biriyle bir daha konuşmam. Ne dersin(iz)?

— Galiba sizi anlıyorum.

— Yanılıyorsun. "Siz" anlanamaz, "sen" anlanır. Bazı kitaplarda "sizi seviyorum"u okuyunca gülerim. Sanki "siz" sevilirmiş! "Sen" sevilir, değil mi?

— Seni anlıyorum. (Kızardı.)

İşte ilk konuşmalarında bile diyebilmişti. "Onu söyletinceye dek zorlamadım mı? Olsun. Dedi ya!" Ayşe üç gün dayanmıştı. İçindeki bu katkısız sevinç neydi? Aradığının bu kadar güzel olacağını hiç düşünmemişti. Nasıl bakıyorlardı birbirlerine! Haliç'te yanan ışıkları bile görmediler. Elindeki küçülmüş sigarayı attı.

— Hep gözlerini merak ederdim, dedi.

— Şimdi biliyor musun?

— Biliyorum. Koyu mavi.

— Bir daha bak.

Saçlarını geriye silkip yüzünü ona yaklaştırdı. Ellerine kuru çam yaprakları batıyordu. İlkokulun bahçesine dökülmüş çam yapraklarını toplardı. Böyle, acıtmadan batardı. Saçlarına dokunmak istiyordu. Tanıyamıyordu elini; sanki özgürdü, başına buyruktu. Bir küçük çocuk ayaklarının yanına eğilip topunu aldı. Yakınındaki yüz çekildi.

— Ah, bak ışıklar yanmış!

Baktı. Aşağılarda pusarık bir akşam vardı. Pusun içindekiler de mutluydular. Şimdi Atatürk köprüsünün korkuluklarına dayanmış olsalardı onun saçlarını okşardı. Artık parmakları karıncalanmıyordu. Eli onundu. Arkalarındaki asfalttan geçen otomobillerin fısıltısını duyuyordu. Döndü. Güler de döndü. Gene buluştular.

— Akademi'de öğrencisin, değil mi?

— Hayır. (Güldü.) Ben de hep yanılırım; ama sende yanılmadım. İlk gördüğüm gün bildim öğrenci olduğunu. (Aralarındaki çantayı gösterdi.) Belki bunun yüzünden. Sol elindeydi. Kalçana bastırmıştın. Benim işimi bilemezsin. Ben...

— Susun! (Dili sürçmüştü. Başlarda böyle olurdu.) Söyleme. Öbür buluşmamıza kalsın.

— Yarına... Yarın öğle sonu okulu asar mısın?

Birden arkalarındaki o korkunç fren gıcırtısıyla ürperdiler. Yüzü buruşurken dönüp baktı. Deminki çocuk tekerleklerin yanına eğilmiş topunu alıyordu. Arabanın ön penceresinden uzanmış surat bağırıyordu. "— Katil olacağız be. Yok mu bu piçin anası?" Bıyıklıydı. Bu yüzü eskiden bir yerde görmüş gibiydi. Birkaç kişi koşuştular. Bir kadın çocuğu dövdü. Dayak yiye yiye bu şehirde yaşamayı öğrenecekti. Hep tetikte olacaktı. Yasaktı dalgınlık. Daldı mı, büyük şehir insanı kornalar, çanlar, küfürler, gıcırtılar, çarpmalarla kendine geliyordu. Güler'e baktı. Onlar da mı dalmıştılar. Yoksa bu şehir onları da mı kendilerine getirecekti? Güler,

— Yarın olmaz. Cumartesi saat ikide, Taksim'de, saatin altında buluşuruz, dedi.

— Olur.

— Geç oldu. Gideyim ben artık.

Çantasını alıp kalktı. Sıranın arkasından bir elini uzatıp onun yüzüne değdi. "Sakalım bir günlüktür." Parmaklarını öpmek istedi, ama öpmedi. El çekildi.

— Haydi, hoşça kal.

— Güle güle.

— Cumartesiye...

— Evet.

Gitti. Arkasından bakmadı. "Şimdi dönecek. Yarın diyecek, yarın öğleden sonra buluşalım. O gıcırtıdan önce dudakları, 'Elbet asarım' demeye hazırlanmıyor muydu?"

— Oturabilir miyim?

Başını çevirirken yüreği duracakmış gibi çarptı. Değildi. Boyalı bir kadındı.

— Sıra belediyenindir, dedi.

Kadın kıkırdadı. Birden deminki şoförün suratını nerede gördüğünü hatırladı: O gece dayak yediği terzilerden biriydi. Kalktı; kadının önünde durdu.

— Bu akşam yemeği benimle yer misiniz? dedi.

— Aaa! Ne sandınız beni siz? Benim siz yaşta oğlum var.

İçinde dayanılmaz, korkunç bir gülme isteği kabardı. Kendini güç tuttu.

— Tanrı bağışlasın, dedi.

O gece evinde yatmadı. Sabaha karşı bir erkenci taksiden inip içeri girince kapıyı sürgüledi. Çok yürümüştü. Bitkindi. Soyunup yattı. Tabanları sızım sızımdı. "Kuru çam yaprakları... Uzun, örülmüş saçlı kızın ellerine batırmıştım. Öğretmenim! 'Yaramaz seni!' Neden dokunmadım saçlarına? Cumartesiye dedi. Ayakları ıslanacak. Ayaklarım... Ne işim vardı Alemdar'da? Taksi! Gıcırrrt. Nasıl üşüyordum! 'Boş yere azap çekmeyin. Bir DERMAN için.' Yarım kadın, sağır mı bunlar? Hep daracık, korkuluksuz köprüdeyiz. Yarın saatin altında. Korkuluksuz köprüdeyiz. Korkuluk... Korku..." Uyudu.

Cumartesi günü uzanmış kitap okurken odaya Eleni girdi. Avukat telefon etmişti; onu acele görmek istiyordu. Tramvayla gitti. Büro bir buçuk yıldır hiç değişmemişti: Aynı parlak ceviz masa, aynı meşin koltuklar, aynı avukat. Koltuklardan birine oturdu. Uzatılan tabakadan bir sigara aldı, yaktı.

— Çay ister misiniz?

— İstemem.

— Demin buradaydı.

— Kim?

— Şu sizin dayı oğlu...

— Vermedin ya?

— Hayır. Verme demiştiniz. Ama acıdım ona. Çoluk çocuk diyor. Başlamaz olsaydım şu eve diyor. Biliyorsunuz, dükkânı tutandan öğrenmiş burasını. Onu bir görsem, bilirim, yardım edecek bana diyor.

— Etmem. Görmek de istemiyorum. Akraba çiftliği değilim ben.

Avukat ona bir tuhaf bakıyordu. Geçen defa, "Siz ki," demişti, "paraya el sürmek bile istemezsiniz!" "Elbet anlamayacak.

O da hısım akrabaya gönülsüz yardım edenlerden değil mi? Öf, sıcak burası." Kalktı.

Hanın merdivenlerini inerken birden hızlandı. Ne gelmişti aklına? Taş basamaklar bitmeyecek gibiydi. Dışarı çıkınca Köprü'ye doğruldu. Hızlı yürüyordu. Kadıköy İskelesi'nde durup bir gazete aldı. Az daha yürüyüp Köprü'nün altına saptı. Oradaydı. Gene evelsi günkü yerine oturmuş balık avlıyordu. Haliç'ten yana köşeye varınca durdu. Demirlere yaslanıp bir sigara yaktı. Adamın omuzları yoktu. Onu böyle Modigliani'nin bir portresine benzetti. Yanındaki küçük, yassı sepette kıpırdak balıklar vardı. İç cebinden çıkardığı yüzlüğü pantolon cebine koydu. Sigaradan bir nefes daha çekip denize attı. Balıkçıya yaklaştı.

— Vay baba, sonunda tuttun bunu ha! (Sepete eğildi. Balığın birini kuyruğundan tutup kaldırdı.) Lüfer mi diyeceksin yoksa? Yok canım, kazıklayacam sanma. Kaç yıllık balıkçısın. Bilirsin elbet. (Bir yandan balığı demin aldığı gazeteye sarıyordu. Bitirdi.) Huza balığı bu. Hanidir yemedim. Yüz lira yeter mi? Sus, daha çok isteme. Fazla param yok.

Yüzlüğü adamın eline sıkıştırdı. Koşar gibi uzaklaştı ordan. Önünde bitiveren basamaklardan Köprü'nün üstüne çıkarken çevresindeki gürültü sustu.

"— 'Yoksuldan çalıp Tanrıya verdi!'

— Tanrıya değil, bilirsin. Hem ben çalmadım.

— Ama verdiğin çalınmış paraydı.

— Ne yapsın insan, kaldırıp denize mi atsın kendini? Bu dünyada onun başka türlüsü yok!

— Var. Alın terinin kazandığı...

— Sus, onları da bilirim. Çalamadıkları, kolayını bilmedikleri için terlerler. Görmedin mi balıkçıyı? Yüzlüğü almadı mı?

— Balıkçı senin neden verdiğini anladı. Huza balığı dediğin zaman...

— Sus, sus artık!"

Önce kendi sesini, sonra çevresindeki gürültüyü duydu. Basamaklardan inen kadın, esen yel açmasın diye eliyle eteğini bastırıyordu. Gelip geçenlerin içinden bir adam durmuş ona bakıyordu.

— Neyiniz var kardeşim?

— Hiç. Biraz başım döndü.

— Bir şey ister misiniz?

— Hayır, geçti. Sağolun.

Yürüdü. İşte onu çağırıyorlardı. Aralarında olsun, taşıtlara binsin, ilaç içsin, işesin, yemek yesin istiyorlardı. Elindeki gazeteyi yanından geçtiği direğe bağlı bir çöp kutusuna attı. Ama bu çağrı süreksizdi. Onu bir bildiler mi gitsindi, yaşamasındı. Birden kafasına bugün saat ikide bir şeyler yapacağı düşüncesi gelip takıldı. Saatine görmeden baktı.

İkiye çeyrek kala, Taksim'de, köşedeki kahvenin üst katında, önündeki pencereden alana bakıyordu. Yemeğini isteksiz, ödev yapar gibi yemiş; çıkıp buraya oturmuştu. Arkasından konuşmalar, tavla şakırtıları geliyordu. Alanın berisinde, altında buluşacakları saatin yelkovanı kendini sıkıp biraz kıpırdayarak ikiye on kalayı gösterdi. Gitmeyecekti. Onu buradan seyredecekti. Ne kadar bekleyeceğini merak ediyordu. Tramvaylar durup gidiyor, gene de durakta kalanlar oluyordu. Onu görür görmez –başka türlü giyinmişti. Neredeyse tanımayacaktı– altında durduğu saate baktı: İkiyi yedi geçiyordu. Geç geldi diye kızdı. İyi ki gitmemişti. Yoksa dudaklarını da mı boyamıştı? Belli olmuyordu. Uzakçaydı. Bakınıyordu. Sonra ileri geri gezindi. Onunsa midesi ekşiyordu. Kursak kaynaması dedikleri bu olacaktı. "Gecikmesi bindiği taşıtın bir aksaklığından olamaz mı?" Saatin direğine yaslandı. "En kötüsü bile, yedi dakikalık bir kendine önem verdirme yapmacığı değil mi? Ya benim bu yaptığım? Düpedüz hergelelik! Güler sol bacağını büküp topuğunu elledi; iki yanına baktı; başı az eğik bekledi. O zaman içine acımsı bir yumuşaklık, gevşeme; esirgeyen, erkekçe buruk bir duygu yayıldı. "Beni bekliyor o! Bense..." Kalkarken sandalyesi devrildi. Basamaklardan atlayıp durağa seğirtti. Yüzünü, Güler'in onu görünce ışıyan yüzüne yaklaştırdı.

— Haydi vur, vur bana! dedi.

Güler'in ona nerede kaldığını sormaya açılan dudakları kapandı, gözleri büyüdü. Yakınlarda duranlar dönmüş onlara bakıyorlardı.

— Ne oluyorsun? Yapma!

— Önce vur bana. Hergelenin biriyim ben.

— Yapma, gülünç oluyoruz.

Çevresindeki sırıtkan suratları görünce –ikisi kadındı– onu kolundan tutup karşı kaldırıma koşturdu. (O gece Güler, "Bereket oralarda bir tanıdık yoktu," diye yazacaktı.) Sıraserviler'de bekleyen taksilerden birine girdiler. Şoför dönünce,

— Karaköy'e, dedi.

Güler'e baktı. Dudaklarının az boyalı olduğunu fark etti. O an için hiçbir şey umurunda değildi. Elini tuttu.

— Hep dün öğle sonu okulu asmadın diye... Yukardan sana bakıyordum. Duraktaydın. Bir ara gezindin. Yedi dakika geç geldi, diyordum. İnmeyecektim. Sonra dizini büküp topuğunu elledin. Vurdu mu, yeni mi ayakkabıların? Neden dün öğle sonu buluşmadık sanki, o pis gıcırtı yüzünden mi?

— Ya ben! Nasıl pişmandım. Akşamüstü diyordum. Durağa, beni görmeye gelecektin. Ama gelmedin. Birlikte dönecektik. Bu kere yan yana diyordum. Üç tramvaya binmedim. Neden gelmedin?

— Küsmüştüm sana.

Güler, şoförün dinlediğini fark edince artık konuşmadı. Az sonra araba durdu. Adamın parasını verdi. İndiler.

— Nereye gidiyoruz biliyor musun?

— Hayır.

— Seni ilk gördüğüm yere.

Tatlıcıya girince baktı, o günkü masadan iki adam kalkıyordu. Sanki her şey onlar için hazırlanıyordu. Oturdular.

(Arkalarda, dükkânın az ışıklı yerinde oturan bir adam çoktandır onları seyrediyordu. Kız böyle güzel olmasa belki ilgilenmezdi. Erkek, eh, kötü sayılmazdı. O olsa kızın karşısına bir günlük sakalla çıkmazdı. İtoğlu bilmiyor muydu? Bir saattir neler bulup söylüyorlardı kim bilir? Nasıl sevişken, yakın. İnsan arada kaçamaklar yapmalıydı. Kadınlar yolda hep burunlarının doğrusuna bakarlardı. Uğraşmak gerekti ama vakit yoktu. "Nerelerde sürtüyordun gene?" Surat bir karış. Beş yıl önce Selma "sevgili"siydi; şimdi "karı"sı. Ya o? "Bizimki". Kaçamak bile yoktu. "Bir gün al şu kızı, kapan bir odaya. Önce dizlerinden kucakla. Ağır ağır kalkarken eteği kollarında kalksın. Gözlerinle değil, bacaklarını avuçlarınla görürsün. Donu açık pembedir. Hiç yoktan daha kışkırtıcı. Dudaklarında dur, ısır da inlesin." Silkindi. Biliyordu, evine gidecekti. Geç bile kalmıştı. Kalktı. Yanlarından geçerken kız, "— Ona güneş gözlüğü almıştık", diyordu. Kapıyı çekti, gitti.)

4

Sevgili B.,

Nereden başlayacağımı bilemiyorum. Üç günde sana ikinci mektubum bu; ama hani ilkini yazarkenki tedirginliğim? Sanki bunu bir başka Güler yazıyor, sevinçli, mutlu bir Güler. Tanıştık onunla... En iyisi köşeden başlayayım. Hatırlarsın, Karaköy'de gözlükçüden çıktıktan sonra durduğumuz köşeyi. Sen ille orada ayrılmamızı istemiştin. Öpüşmüştük. Öpüşmeseydik onunla tanışamayacakmışım. Bugün onunla oturduğumuz tatlıcıdan bizi görüyormuş. İnsanların sokakta hep ezberlenmiş hareketler yaptıklarını düşünüyormuş. Ayrılacağımız sıra, içinden bize, "El sıkışın!" diye bağırmış. Oysa biz öpüşmüştük. Köşeye koşmuş. Bir an durmuş orda; ikimizi de görüyormuş. Sonra benim arkamdan yürümüş.

Darılma sakın, benimle geldi diye seviniyorum. Seninle gitseydi evini öğrenecek ama seni bir daha göremeyecekti. Üzülürdü. O gün bir şeyler olacağını beklediği köşenin onu aldattığını sanırdı. Onun bir de sokağı var. İnsanların ortak duyarlığı bu galiba. Hep öyle değil miyiz? Benimle ilk defa o her gün geçtiğim sokakta konuşmak istiyormuş. Bense, şaşkın, onu tenha sokaklardan geçiriyordum. Utanır sanıyordum. Beni, "Gelin buradan gidelim," diye döndürdüğü o sokakta anlattı bunu. Gidip Tozkoparan'daki sıralardan birine oturmamızı istedi. Bir, "Var mısınız?" dedi, bilsen! "Varım!" dedim.

Ah, işte tutturdum gidiyorum. Karıştırıyorum, değil mi? Bunlar perşembe günü fakülteden dönerken oluyordu. Tramvayda yanıma gelmiş, elime küçük bir kâğıt sıkıştırmıştı. Cebime koymuştum. Sık sık aklıma geliyordu. Sıraya oturunca unuttum. Orada sigara içtiğini, "siz" diyemediğini öğretti bana. Düşün, ilk konuşmamızda ona "sen" diyebildim. Tam işini söyleyecekken susturdum onu. Öbür buluşmamıza dedim. Ama bugün de öğrenemedim işini. Konuşulacak öyle çok şey var ki!

Dün buluşmadık. Yarı kalan kazadan önce "Yarın okulu asar mısın?" demişti. Arkamızda az kalsın bir çocuk ezilecekti. Hocayı düşündüm. "Güler hanım, cuma günü teşrif etmediniz," derdi. Cumartesi için sözleştik. Giderken –o kalkmamıştı– yüzüne dokundum. Eve girince anneme akşama ne yemeği olduğunu sordum! "Patatesli tas kapaması!" dedi. Boynuna sarıldım, öptüm. "Canım anneciğim benim!" dedim. "Ne oluyorsun kız, deli?" Odama koşup kâğıdı okudum. "Kuledibi'nden o sokağa dönün" yazılıydı. Güldüm. Buymuş işte.

Bugün Taksim'de saatin altında beni çok bekletti. Oysa gözetliyormuş beni. Dün okulu asmadım diye küsmüş. Gelmeyecekmiş. Bir ara dizimi büküp topuğumu ellemişim. O zaman bana koşmuş. Görüyor musun, insanların geleceği nasıl ufacık, bilmeden yapılmış bir hareketle değişiyor? Önümde durup yüzünü uzattı. "Haydi, vur bana!" dedi. Nasıl şaşırdım bilsen. Duraktakiler sırıtıyorlardı. "Yapma, diyordum, gülünç oluyoruz!" Beni kolumdan tutup karşıya koşturdu. Bereket oralarda bir tanıdık yoktu. Sıradaki taksilerden birine atladık. Karaköy'e, o tatlıcıya gittik. Arabada beni öptü. (Bunun yalan olduğunu biliyoruz. Neden yazdı bunu acaba?)

Evde daha kimseye söylemedim. Ama bir şeyler seziyorlar. Bu akşam babam, "Bu neşe ne kızım?" diyordu. Gülfer, "Bu sıra bir üzgün, bir neşeli o!" dedi. "Sen sus!" dedim. "Neden susacakmışım; hakkım yok mu konuşmaya?" "Var ama benim hakkımda değil!" dedim. Dilini çıkardı. Kopasıca. Annem "Kızlar, kızlar!" dedi.

Ne dersin, söylemeyeyim değil mi? Canım B., neden burda yoksun? Yarın gene buluşacağız. Meliha'lara diye çıkarım. Daha pek tanımıyorum onu, ama seviyorum demek hoşuma gidiyor. Ya sen ne yapıyorsun? Bana yaz. Gözlerinden öperim.

G. T.

5

Duvardaki saat doğruysa en çok yirmi bir dakika sonra burada olacaktı. Bugün de vaktinden önce geleceğini sanıyordu. On gündür beş kere bu büyük, çok masalı, kişiliksiz pastanede buluşmuşlar; hep vaktinden önce gelmişti. Öğle sonları fakültede olduğu günler onu Fındıklı'da bir küçük kahvede bekliyor, gelip camın önünde durunca kalkıyor, yedi yıl önce canı sıkıldıkça okuldan basıp yürüyüverdiği zamanlar geçtiği aynı yokuştan Taksim'e çıkıyorlardı. Artık Güler'in akşamları eve dönüş yolu değişti. Tramvay yoktu; yangın kuleli sokak yoktu. Başka ne yoktu? Bilmiyordu. Geçen pazartesi o yokuşta, susuz eski çeşmenin önünde durmuşlar, ona üstündeki "Sahibül hayrat vel hasenat Fındıklılı Mehmet Ağa" yazısını ilk hecelediği günü anlatırken, hayatlarının onca en önemli konuşmasını yapmışlardı. Kısacıktı: "— Demek dört ay dayanabildin. Peki, şimdi ne yapıyorsun? Üç gündür bir türlü işini soramadım. Tahmin de edemiyorum..." "— Edemezsin. Çünkü aylakım ben." İşte böyle, gelirinden bahsedip onu hazırlamadan, birden söylemişti. Yüzüne bakıyordu. Gülmüş, "Ah, demişti, iyi dayanabiliyorsun!" Elbet şaşacaktı. Ama yüzünde, görmekten korktuğu o kırılma, o küçümseme ifadesi yoktu. El ele yürüdükleri zaman "— Sen Fındıklılı Mehmet Ağa'nın tarihini okudun mu?" diye sormuştu. "— Hayır." "— Ben de okumadım. Ama bu sıra bulup okuyacağım onu..."

Garsonun masaya bıraktığı portakal suyunu bir solukta içti. Susamıştı. Az önce yediği sucuklu yumurtadan olacaktı. Lokantadaki garsondan sucuklu yumurta isteyince, "— Pastırmamız çok iyidir efendim. İsterseniz pastırmalı yaptırayım," diyen adama dik dik, "Sucuklu istiyorum," demişti. Buradaki garson öyle değildi. Konuşmaya yeltenmiyordu. Ayrılırlarken masanın ucuna fazladan bıraktığı parayı alıyor, arkalarından, "güle güle" bile demiyordu. Dese, Güler'le beş sefer de bu aynı yerde değil, gene buna benzer, gireni çıkanı bol bir başka pastanede buluşurlardı. Buraya her gelişinde adamın işinden atılmamış olmasına şaşardı. Atılsın, yerine sulu, yılışık, gerçek bir garson gelsin de Güler'le hep bu masada buluşmasınlar istiyordu. Alışmaktan korkuyordu. Böyle giderse bu masa sevgilerinin kutsal yeri olacaktı. Bir yerleri olması kötüydü. Sonra insan kendinin değil, o yerin isteğine uygun yaşamaya başlardı. Gene de içinin bir yanı onunla buraya oturmaktan, altında dizlerini kendininkilerin arasına almaktan, kimselerin tedirgin etmediği bir konuşmaya dalmaktan hoşlanıyordu. Öyle olmasaydı, evvelsi gün burada otururlarken, Güler, "— Dünyadan çok şey beklemiyorum. Üç oda, bir mutfak, sevdiğim adam, biri kız biri oğlan iki çocuk..." deyince, yalnız, "— Adam bıkıp kaçsın, çocuklar kuşpalazına tutulsunlar diye mi?" der demez, ürperirdi. Bu sözü başka bir yerde işitseydi "Bu kız beni eli paketlilerden biri yapmak istiyor. Onlar için yaratılmış. Benim aradığım değil o," diye düşünür, belki çeker giderdi. Güler -eli öyle güzeldi ki- ona kırgın kırgın bakmış, "— Ah!" demişti, "biliyorum; bir gün olacak bu." Olacak dediği neydi? Beklediği şey mi, yoksa sevdiği adamın bıkıp kaçması mı?

Garson portakal suyu bardağını kaldırırken masanın kıyısına bir gazete koyup çekildi. Bununla dördüncü seferdir, okunmadan durduğunu bile bile, bu gazeteyi Güler gelmeden getirip masaya bırakıyordu. Daha ilk getirişinde anlamıştı. Yumruklarını sıkmış, bir şeyler söylemesini beklemişti hep, ama garson konuşmamıştı. Adam bir gün önce olanların farkındaydı. O gün -buraya ikinci gelişleriydi- Güler bir ara kızkardeşinden bahsetmişti. "İşte kardeşini sevmediğini söyleyebilen bir kız. Az şey değil bu..." diye düşünürken onun sigara küllüğü ile oynayan elini görmüştü. Sesini duyuyor, söylediğini anlayamıyordu. Ellerine, dudaklarına gene o kurumuş çam yaprakları batıyordu. Küllükle oynayan el, başına bir şeyler geleceğinden kuşkulanır gibi az titremiş, geri geri çekilmişti. "— Çekme elini! Bir şey yap. Öpmek istiyorum onu. Şimdi." İnanmamış, gülmüştü. "— Nasıl olur? Deli misin?" "— Sana bir çare bul, dedim. Yoksa yanına gelip öpecem onu." Gözlerinin öyle büyümesi ne hoştu! Doğrulurken, "— Dur!" demişti, "otur. Elimi uzatıp yanağındaki tütün kırıntısını alacam." Uzatmış, dudakları değer değmez çekmişti. Bütün çekingenliğine, yüzünün sararmasına rağmen böylesine istenmekten hoşnut değil miydi? Gözleri nasıl parlamıştı! Kimse görmedi sanmışlardı. Ama o, garsonun fark ettiğini biliyordu. Gazeteyi, bir daha bu eli öpmeye kalkışırsa, başkalarına göstermesin diye getiriyordu. Hem bir daha olmamıştı. Masanın üstünde o dörde katlı gazete durdukça olmayacaktı da... O gün, hava kararınca evine yakın bir tenha sokakta onu öpmüştü. Güler titremiş, "— Canım," demişti, "benim deli sevgilim." Bir sigara yaktı. "Onun deli sevgilisi! İşte ben buyum."

— Merhaba!

Başını kaldırdı. Karşısındaydı. "Onun deli sevgilisi! Sen niye akıllısın sanki? Bugün çantasız gelişin iyi. İğrenç kadın çantaları... Sokakta ellerin boş boş kalmıştır."

— Merhaba. Otursana!

Oturdu.

— Çok oldu mu geleli?

— Bilmem. (Duvardaki saate baktı.) On sekiz dakika olmuş.

— Bugün yarım saat önce gelecektim. Sonra ya onu bulamazsam dedim. Beklicem. Herkes bana bakacak...

Dinlemiyordu. Garsonun yaklaştığını görmeden biliyordu. Güler,

— Portakal suyu, dedi. Sen de ister misin?

— Evet.

— İki olsun!

Adam çekilince, masanın altında dizleri birbirini buldu. Biraz kıpırdayıp her zamanki durumlarına geldiler. "Tadı denenmiş durum! Başkası yok mu? Neden kadınlar da değişiklik aramıyorlar? Niye benimkileri kendi dizleri arasına almıyor? Hadi diyelim pantolonla eteklik meselesi bu. Ayağıma da basamaz mı?" Garson bardakları masaya koyup gidince Güler,

— Ne sessiz garson bu. Dilsiz galiba, dedi.

— Acaba? Bak bunu hiç düşünmemiştim.

Güldüler. Birlikte gülündü mü insan rahatlıyordu.

— Okuldan ne haber? diye sordu.

— Sorma. (Boğazını gösterdi.) Burama kadar şiirle doluyum. Hem de ne şiir! Üç saat birbir üstüne Milton. Gökyüzünde savaştık durduk. Yıldırımlar, gök gürültüleri... Öğleyin eve dar attım kendimi. Sen ne yaptın?

— Ben uzandım, okudum.

— Ah ne iyi! İmreniyorum senin yaşamana. Bereket arada seni düşündükçe içimin ısınması var. Sen ne okuyorsun?

— *The Naked and the Dead.*

— Hiç duymadım.

— Bitirince sana veririm. O da bir savaştan bahsediyor, yeryüzündeki bir savaştan... Demek arada beni düşünüyorsun?

— Evet.

— Beni çok düşünmeni istemem.

— Nedenmiş o! Düşünmeden edemem, biliyorsun, seni seviyorum ben.

Sigarasını küllüğe bastırdı. "Nasıl kolayca söyleyiveriyor bunu. Sevmek! Kelimelere herkes kendine göre bir anlam, bir değer veriyor galiba. Bu değerler aynı olmadıkça iki kişi iki ayrı dil konuşuyorlarmış gibi olmuyor mu?" Gene de sevinçliydi. Güler, sol elinin iki parmağıyla gazetenin üstünde trampet çalıyordu.

— Bana hiç itibar etmiyorsun, dedi. (Gülümsedi.) Erkek dediğin kızına yardımdan hoşlanır. Bardağı elimin yakınına getirmedim. Yoksa kızın değil miyim senin? (Dizleri kıpırdadı.)

— Yavrum, (Bir yandan gazetenin üstündeki eli görüyordu.) istersen yanına geleyim, (Parmaklar toplandılar.) başını omuzuma bastırayım, (Elin ağır ağır geriye yolculuğu başladı.) portakalını sana ben içireyim. (Masanın ucunda öteki ele katılıp kucağına indi.) Saklama ellerini! Aklım başımda bugün.

— Ah, korkunç şey bu! Nasıl biliyorsun?

— Sana bakmayı biliyorum ben. Söylediklerimi dinlerken, "Bunu yapamaz ama tutar gene elimi öpmek isterse?" diye düşünüyordun. Bak, dudaklarını belli belirsiz boyamışsın. Boyarken aklından geçenleri biliyorum. Aynaya bakınca sana solgun gibi göründüler. "Sevmez ama azıcık süreyim, fark etmez," dedin. Öpüşeceğimizi biliyordun. Dudakların daha bir çekici olsunlar istiyordun. Aklında hep bugün benimle öpüşeceğin vardı. İstiyordun. Nerden mi biliyorum? Çünkü ben... Seni öpmek istiyorum..

Güler kızarıyordu.

— Korkunç şey bu. Görüyorsun utanıyorum, dedi.

— Korkunç olan ne? Bunları herkes düşünür ama çoğu söyleyemez. İkimizin arasında saklı bir şey olmaması sana bir rahatlama vermiyor mu?

— Rahatlama ha! Başkasının gözü önünde...

— Sus! (Dizlerini kıracakmış gibi sıktı.) Arkasını söyleme. Haydi, içelim şunları da çıkıp gidelim burdan.

İçtiler. "Başkasının gözü önünde soyunmak insana bir rahatlama verirse!.." diyeceğinden korkmuştu. Kendi sözleriyle çelişmeye düştüğünü bilmiyor muydu? Yoksa onun açıkça söylemesini istedikleri salt kendi isteğine uygun olanlardan başka bir şey değil miydi? Elini alnında gezdirdi.

— Çıkmadan nereye gideceğimizi konuşalım mı, yoksa dışarda mı konuşuruz? diye sordu.

— Burada konuşalım.

— Söyle öyleyse. Sinemaya mı?

— Bilmem. Sen geçen hafta... Nereye dersen giderim.

Anlıyordu. Geçen hafta burada elini öptüğü gün, dışarı çıktıklarında onu evine götürmek istemişti. "Daha gelemem," demişti, "çekinirim. Evine girince bende oraya uymayan bir şey görürsün de beni sevmezsin diye korkarım." Ötekilerin –Ayşe'nin bile– hep onun evine gitmek istemelerine karşı bu kızın çekingenliği, o zaman ona hiç tuhaf gelmemişti. Nasıl ki şimdi de oraya gitmek istemesini tuhaf bulmuyordu. Bugün de o götürmeyecekti.

— En iyisi sinema, dedi, insan bile bile giderse utanç da duymaz.

Dışarda, kalabalığın arasında, öteki çiftlerden tek ayrılıkları kol kola yürümeyişleriydi. Sinemaya girip salonun en arka sırasına oturdukları zaman bu ayrılık da ortadan kalktı. Artık bütün o arka sırada oturan çiftler gibiydiler. İçeri girer girmez, sanki vakit hesaplayıp da gelmişler gibi, salon kapılarının açılıp ışıkların yanması onu sevindirmişti. Yoksa dış salonda kalıp bekleyeceklerdi. Karanlıkta boş yerlere doğru iteklenmekten iğrenirdi. Çevresine baktı. Pek kalabalık sayılmazdı. Güler'in sesini duydu:

— Ne düşünüyorsun?

— Sinemaya girenlerde ortak bir duygu olduğunu düşünüyordum, dedi. Film görmeye gelenlerde elbet. Çünkü bu salon başka amaçlar için de kullanılıyor. Yağmur dininceye dek beklemeye, ısınmaya, uyumaya, yanına oturacak tanımadığı bir kadınla ya da erkekle sürtünmeye gelenler çoğu. Localar var, ucuz randevu evi odacıkları. Arka sıralarda öpüşmeye gelenler var. Salt film görmeye gelenler salon tenha olsun isterler. Yanlarındaki koltuğun sahibi olup olmadığını sorana kızarlar. Gürültü olmasın, öksüren, sümküren, konuşan, gülen olmasın isterler. Sinemanın güzel sanatlardan biri olduğuna en büyük kanıt bence bu. Ama olmadığına da bu. Çünkü her zaman gülen, öksüren, sümküren bulunur.

— Biliyor musun, yanıma mendil almayı unutmuşum. Ya burnum akarsa?

Işıklar söndü. Hanidir hep bu anı beklediklerini düşündü. İşte Güler hiç kıpırdamadan sanki ona doğru geliyordu. Sol koluyla omuzlarından sardı. Dudakları onunkileri buldu. Artık konuşmayacaklardı. "Değil, yalnız etimiz konuşacak. Dudaklar sesleri kesip biçerler. İnsanın et olmayan tek yeri beyni değil mi? Et beyinli! Bir insan için söylenebilecek en ağır horlama sözü. Et beyinli! Ya bu birbirinde ezilen dudakları, bu acıta acıta sıkan elleri yöneten ne? Omurilik mi? Ondan mı murdarilik demişler? İki apayrı et nasıl oluyor da birbirinin dilini böyle kesin, kolayca anlayıveriyor? Ya bu oburluk, bu doymazlık! Korkunç şey demişti. En korkuncu bu değil mi?" Dudaklarını çekti. Güler'in gözkapakları aralanırken yeniden onun yüzüne eğildi. Bu kere, yarı karanlıkta da olsa, salt ona bir yabancınınkiymiş gibi gelen kendi şişkin yüzünü göstermemek için öptüğünü sanıyordu. Çünkü öpülürken Güler'in gözleri hep kapalı dururdu. "Açma gözlerini sakın. Açarsan belki yalnız, şişmiş bir burunla iki sıvışık göz göreceksin. Yoksa aldırmaz mısın? Yoksa seni böyle başkaları da öptü mü?" Avcunda kıpırdayan eli bütün gücüyle sıktı. Güler ufalır gibi oldu; ağzının içine inledi. Ayrıldılar. Baktı perdedeki adam bir kadını öpüyordu. İşte her yerde buydu. Birden kulağının dibinde fısıltıdan bile yavaş bir ses duydu:

— Al bak, kırdın onu.

Kucağına uzanan eli aldı. Uzun zaman bırakmadı. Sıcaktı, kuruydu. Öpüşürken ona durmadan büyüyorlarmış gibi gelen burnu, yanakları, dudakları yeniden küçülmeye başladılar. Yanında, başı omzuna dayalı oturan bu kızı, konuşmadığı, yüzünü ona uzatmaya kalkışmadığı için sanki daha çok seviyordu. Saçları boynundaydı. Kulağı kaşınıyordu. Bir daha gelirlerse onu sağına oturtacaktı. Yer gösteren kızın tuttuğu solgun ışıkta önlerinden, dizlerine sürtünerek bir kadınla bir erkek geçti. Yanındaki bu yerlere oturur oturmaz sarıldılar. Onlara yol açarken birbirine yaslanan bacaklarını çekmediler. Koluyla Güler'in başını kaldırıp kulağına eğildi. Önce bu kulağı öptü; sonra,

— Çıkalım mı? diye sordu.

— Çıkalım.

Kalktılar. Dönüp yanındakilere baktı. Adam, etekliğin altında kadının bacaklarını okşuyordu. Bir an, içinde bir duygular karmaşması oldu: Çıkacakları için sevinç, adamı tekmeleme isteği, kalktılar diye pişmanlık!.. Kulağını kaşıdı. Yoksa salt bunu yapabilsin diye mi buradan çıkmak istemişti?

Kalabalık yolda yürürlerken ona birbirlerinden utanıyorlarmış gibi geliyordu. Galatasaray lisesini geçtiler. "Nasıl bakıyorlar ona! Ne düşünüyor acaba? Bu eli miydi? Değil, öteki." Güler kolunu tuttu.

— Eski evimizin önünden geçelim mi? diye sordu.

— Geçelim.

Rahatladı. Demek düşündüğü buydu. Eski evi! On gündür konuşmalarından anladığına göre, kızkardeşini, biraz da annesini kendi kendine yıkabilmişti. Ama daha dimdik duran bir babası vardı; bir de bu eski evi. Bugün eve saldıracaktı. Acelesi yoktu; sonra babasını da yıkardı. Kimsesiz kalsın istiyordu. "Benim ona tutunabilmem için onun benden başka bir dayanağı olmamalı." Gene de bu kızın ilerde kendi yüzünden azap çekeceğini sanıyordu. Başını çevirip baktı. Azap çekmesini istemiyordu. Sonra kafasında hep o iki cümlelik söz dolaşmaya başladı. Gelip geçenlere düşmanca bakıyordu. Sanki azap çekeni ilaçla kurtaran onlardılar.

— Boş yere azap çekmeyin, bir Derman için, dedi.

Güler ona şaşırmış gibi bakıyordu. Başıyla arkasını gösterdi.

— Şu vitrindeki el ilanında okudum, dedi.

Güldü. O da güldü. Tünel'e yakın nerdeyse Ayşe'nin sokağına sapacaktı. Bir ötedeki sokağa saptılar. Önce sağa sonra sola dönüp yolun ortasında durdular. Güler,

— İşte bu, dedi. Hatırladın mı?

— Neyi?

— On beş gün önce seni bu sokağa getirmiştim. Şurda durmuştum. Benimle konuşmanı istiyordum.

— Tamam, hatırladım. Bu ev yanındakilere benzemiyor mu?

— Çocukluğum orda geçti. Ama annem... O zamanlar ben de istiyordum. Sonunda taşındık. Şimdi hep bu eve hayınlık ettiğimi sanıyorum. Haydi, gidelim.

Yürüdüler. Güler önüne bakıyordu. Köşeyi dönerlerken,

— Ben o evi biliyorum, dedi. Üç oda, bir mutfaklı değil mi?

— Nerden biliyorsun?

— İçinde oturanları tanıyorum. Erkek en yakın lisede İngilizce öğretmeni. Karısı, onunla evlensin diye okulunu yarıda bıraktı. Sevişerek evlendiler. İki çocukları var: Biri kız, biri oğlan. Erkek akşamları eve elinde paketler, kesekâğıtlarıyla döner. Yemek yerler. Çoğu geceler adam ya öğrencilerin yazılı ödevlerini düzeltir, ya da gazete okur. Arada, "Bu yıl kömür kıtlığı olacakmış!" diye mırıldanır. Kadının kucağında hep yamanacak bir şeyler bulunur. Kocasına bakar. "Uğrunda fakülteyi bıraktığım bu rahatına düşkün adam mıydı?" diye düşünür. Sonra dalar. Bir gün okula giderken otobüste bir genç gözünün içine içine bakmıştı. "Neden kaşlarımı çattım ona, diye hayıflanır, onunla belki başka türlü olurdu." Ya birlikte uyudukları yatak... Erkek karısının değiştiğini, okula yeni verilen tarih hocasını düşünür. Kadın otobüsteki gençledir...

— Sus, dedi Güler, yeter!

— Evin kapısındaki sarı kâğıdı görmedin mi? Oğlan beş gün önce hastalanmıştı. Doktora verilecek paraya acımışlar, geçer demişlerdi. Oysa kızamıkmış.

— Neden bu kadar kötümsersin?

— Sen neden değilsin? Çevrene bakmıyor musun? En mutlu görünenlerine bile? Bütün bunlar üç oda, bir mutfak, iki çocuk düşü ile başlıyor. Sonra? Haydi bayanlar, baylar! Bu fırsatı kaçırmayın. Siz de girin, siz de görün. Üç perdelik dram. Birinci kısım: Dağlar dümdüz. İkinci kısım: Ne çok tepe! Üçüncü kısım: Ova batak. Bugünlük bu kadar baylar. İyi geceler. Yarın gene bekleriz.

— Nasıl da büyütüyorsun! (Kolunu sıktı.) Erkekler de benim beklediğimden fazla bir şey istemezler sanırdım.

İçinden "Ha şöyle," dedi, "biraz sarsıl bakalım. Acelem yok benim, biliyorsun. Bir gün sana dünyada dayanılacak tek şeyin sevgi olduğunu öğretecem." Tünelin önünden geçtiler. "Acaba en çok hangimiz sarsıldık? Ev mi, yoksa kafasındaki 'ben' mi?" Yirmi iki basamağı inince Güler'in elini tutup durdu.

— Yarın, camın önünde durursun, dedi.

— Evet.

İki hafta önce burada, yakınındaki bu yüzü kırıştırmak, çirkinleştirmek istemişti. Şimdi daha da güzel olsun istiyordu.

— Elin acıyor mu?

— Ah! Hayır, geçti.

"Sarılacak bana..." Bilemedi. Güler tuttuğu eli yanağına değdirip bıraktı. Basamaklardan aşağı koştu. O durdu. Uzakta, köşeyi dönünceye dek ardından baktı. "Bu gece yatağında dönüp duracak, uyuyamayacak. Beni kendince seviyor. Ya dünyadan beklediği? Benim, üç odasını onunla paylaşacak adam olmadığımı düşünecek. Belki kalkar, neydi adı, o arkadaşına mektup yazar. İçini döker. Sonra uyur..." Döndü. Basamakları çıkarken bir daha saydı.

Gece yarısından çok sonra evine girerken, Nişantaşı'na yakın, yolun ortasında durdu. Geniş caddede ondan başka kimse yoktu. Tramvay rayının üstüne apışıp işedi. "Bir de bana deli sevgilim diyor. Nerem deli benim? Paçalarıma sıçramasın diye demirin oluklu yerine işemiyor muyum?"

6

Sevgili B.,

Neden, "Kasabada deniz olmayışı hoşuma gidiyor" demişsin, anlayamadım. Ama mektubunda çok iyi anladığım yerler var. "Gazino dedikleri yerin bahçesinde ağaçlar yalnız iki çeşit: Palmiyeler, çamlar. Palmiyelerin önüne bir levha asmışlar: Saat dörtten sonra ailelere mahsustur, diyor. İlk gördüğüm gün gülmüş, insanlara acımıştım. Akşam üstleri yağmur yağmıyorsa –çoğu yağıyor– orada yengemle oturuyoruz. Her sefer bize en yakın çamın altında kasabadan bazı delikanlılar oluyor. Tartışıyorlar. Konu filmler falan. Bakıyorum hepsi de hep aynı çocuğa yükleniyorlar. Bu çocuk hoşuma gidiyor. Ötekiler süzüle süzüle bana bakarlarken, onun, sanki ben yokmuşum gibi oturuşuna tutuluyorum. Yengeme sordum. Bilmem kimin oğluymuş. Okuyormuş. Bir ay önce hastalanıp kasabaya dönmüş. Yakında gene gidecekmiş. Neden bakmıyor bana?" diyorsun. Sevgili B., bakmasın sana. O baksa bile sen bakma sakın. Sonu üzüntülü, biliyorsun. Şimdi üzülüp duracağına sen de ona bakmasaydın ya, desene bana. Onu seviyorum, ama üzgünüm de. Bugün sinemadan çıkınca eski sokağımızdan geçtik. Ona evimi gösterdim. "Yarından tezi yok, seninle o evde oturmaya başlayalım" desin istiyordum. Ama demeyeceğini de biliyordum. Bir hafta önceki bir sözü aklıma geliyordu: "Erkek bıkıp kaçsın, çocuklar kuşpalazı olsunlar diye mi?" demişti. Köşeyi döner dönmez sanki bütün evlere saldırdı. Kapkaraydı içi. Onu dinleyen, şehri üst üste dolduran yapılardaki insanların içinde bir tek mutlu kişi bile yok sanırdı. "Neden bu kadar kötümsersin?" dedim. "Sen neden değilsin?" dedi, "çevreni görmüyor musun?" Sözlerinin doğru bir yanı var, biliyorum. İşte bizimkiler... Ama biz onunla mutlu olabilirdik. Neden beni anlamaya çalışmıyor? Oysa seviyor beni. Pastanede otururken, hiç beklemediğim bir anda "Elini öpmek istiyorum. Bir şeyler bul" diyor. "Deli misin?" diyorum. "Deliyim" diyor, "öptür onu bana. Yoksa kalkar kendim öperim." Öyle bir bakışı var, korkuyorum. Yapar mı yapar. Yanağındaki sözde tütünü alırken elimi öptürüyorum. Ne dersin, o zaman içinde bir sevinç oluyor. Beni anlasa, o da benimle aynı düşü görse!.. Geçen gün Cavidan'ın evlenmesini anlatıyordum. "Sevişmiyorlarmış" demesin mi! Şaştım. "Sen hiç gerçekten sevişen iki kişinin evlendiklerini gördün mü? Ben görmedim" dedi. Sevişmek dediği acaba neydi? Tuhaf, değil mi? Onun ne istediğini anlayamıyorum. Nasıl olur da bir insan, küçük bir evi, bir eşi, iki çocuğu olsun istemez? Ah, buldum işte: Bu bakımdan o da sana benziyor. Sen, "Yetmez bunlar!" demez miydin?

Bana, bırakıp kurtulma öğüdü verme. Yapamam. Senin gibi değilim ben. Sen bile, bir bakıma, bu yüzden oraya gitmedin mi? Ayrılacağımız gün söylediklerini unutmuyorum: "İnsan geçmiş bir olayı kafasından kazıyıp attığını sanıyor. Değil. Tortuya benzer bir kalıntı var. İlk günler onun yeniden başlama çabasına nasıl ilgisizdim! Sanki yokmuş gibi. Ama üç ay sonra, dün, yanımdan geçerken arkadaşına, 'Göğüsleri sıkıdır,' dediği zaman sarsıldım. Fakülteye gelmesem de onu görmem, ama o kasabaya gideceğim," demiştin. Hem benim daha umudum var. Sızlanıp yakındığıma bakma. Yarın son derste içim içime sığmıyacak. Gidip kahvenin camı önünde duracağım. Yokuşu birlikte çıkacağız. Görüyorsun, artık tramvayla dönmüyorum. Haftanın üç günü, akşam üstleri beni Fındıklı'da, bir kahvede bekliyor. Öteki dört gün de öğle sonları Beyoğlu'nda, bir pastanede buluşuyoruz. Her gün onunlayım. Onun yanında insan, ne olacağını baştan bilemiyor. Bugün pastaneden çıkınca beni evine götüreceğini sanıyordum. Geçen hafta, "Eve gidelim," demişti. Çekinmiştim.

Bir şeyler uydurmuştum. Oysa bugün ben istiyordum. Gene de, "Evine götür beni," diyemedim. Tuttuk bir sinemaya girdik. Bir ara elimi kıracakmış gibi sıktı. Akşam, Daire'deki merdivenlerde ayrılacağımız zaman bir, "Elin acıyor mu?" dedi bilsen, sarılıp öpecektim. Yapamadım. Ne dersin, seviyor beni, değil mi? Yoksa bugün locada bana öylesine sarılır mıydı?
(Bu ikinci yalan, Güler'in anlattıklarına güvenimizi kırdı.)
G. T.

7

Garson gene o garsondu ama üç seferdir masanın üstüne gazete koymuyordu. Belki yalnız o anlıyordu. Boş bardağı alıp çekildi. Son günlerde Güler'in ne zaman geleceğini bilemiyordu. Kimi erken, kimi geç gelir; onun hiç ummadığı anda gitmeye kalkardı. Konuşurlarken susuverdikleri oluyordu. Eskiden, aralarındaki suskunluk uzadıkça, bir şeyler bulup söylemek gereğinin verdiği tedirginliği duymazdı. Yoksa evini, babasını sarsayım derken, onlarla birlik kendini de mi sarsmıştı? Kuşkuluydu. Yalnız birbirlerine sarılıp gözlerini yumduklarında, çözümlenemeyecek bir sorunları kalmıyordu. İki haftadır, bir şey yitirmekten korkarmış gibi, sık sık sarılıyorlardı. Karşısındaki kapıya baktı. Kendi kendine, "Bu kapı üç kere açılıp kapanacak; dördüncüde o girecek," dedi. İlkinde kır bıyıklı bir adam girdi. "Emekli yarbay bu." İkinci açılışta giren, çocuğunun elini tutmuş bir kadındı. Üçüncüde bir azınlık okulu öğrencisi çıktı. Çıkanlar da olabileceğini düşünmemişti. Sonra kapı Güler'in gelmesini bekliyormuş gibi bir zaman açılmadı. Açılınca uzun boylu bir kadın girdi. Ayakkapları topukluydu. "Yapmalarını kırıp kendi topukları üstüne inse daha bir kadınlaşacak. Bu kadın uzun topuk modasını kısaların çıkardığını bilmiyor mu? Uzunlar ahmak olur, derler. Doğru." Onun kendisine baktığını görünce yüzü asıldı. "Belli, birini bekliyor. Dimdik göğüsleri. Dünyayı yöneten yuvarlaklar. Buraya gelinceye değin kim bilir kaç erkek ona çarpıversin diye kolunu kamburlaştırdı! Neden kadınlar kalabalık içinde sürtünmeyi istemezler? Erkek köpekler gibiyiz. Onlar koklaya koklaya, biz sürtüne sürtüne... İnsan soyunu kurutmak mı istiyorsunuz, erkekteki bu sürtünme duygusunu alın, yeter! Şimdi yolda ona da çarpanlar vardır. Atalarımızın maymunlar olduğunu söyleyenlerin sözünde bir gerçek payı... İşte o!"

Güler, bir açık mavi ile kara uyuşması içinde ona doğru geliyordu. İçinin sevinci yüzüne vurmuştu. Demek gene de umutluydular. Belki yalnız garson anlıyordu. Daha oturmadan.

— Bil bakalım bugün ne olacak? dedi.

— Ne olacak?

—Akşam yemeğini birlikte yiyeceğiz. (Önce anlamadı. "Yoksa beni Yeşilzeytin Apartmanı'na mı götürmeye kalkacak?" diyordu.) Düşün, izinliyim bugün! Geceyarısına kadar seninleyim.

Kafasında, film başlamadan önce çaldıkları gonk sesine benzer, kısacık bir tınlama duydu. Bir akşam onu yemeğe götürmek isteyince, "— Evde yiyemem sonra. Anlarlar," demişti. "İlerde bir gün..." İşte bu gündü. "Geceyarısına kadar!.."

— Nasıl izin alabildin?

— Sorma. Utanıyorum. Bu sabah fakültede Meliha ile anlaştık. Sınıf arkadaşlarıyla toplanıp eğleneceğiz diyecektik. Bu gece bizimkiler beni onlarda, onunkiler onu bizde sanacaklar. On bir buçukta onu Kadıköy İskelesi'nden alıp evine bırakacağız. Korkuyor o. Ben korkmuyorum, değil mi?

— Sen de korkuyorsun.

Sevinçliydi, ama ona değil, onu böyle çekingen yaptıkları, "bir şeyler uydurmak" zorunda bıraktıkları için ötekilere kızıyordu. Güler,

— Beni uzak bir yere götür. Kimse görmesin, dedi.

— Olur. Boğaz'a gideriz.

— Kalkalım mı?

— Erken daha.

Çıkarlarken baktı o uzun boylu, uzun topuklu kadın yoktu. Önce bir sinemaya girip iki saat, ıslak ıslak, deli deli öpüştüler. Sıcaktı. Yalnız bacaklarına dokunmuyordu. Neden ona her gelişinde bacaklarını da getirirdi? Hep böyle olurdu. Onları okşama, sıkma isteğiyle avcu karıncalanmaya başladıkça bir kulağı yanardı. Dokunamazdı. Sonra gene, bindikleri takside Boğaziçi'ne giderlerken, Güler'in bacağı onunkine değdi. Çekmedi. Yol çabuk bitsin istiyordu.

Sarıyer'de inip denizin üstüne uzanmış lokantaya girdiklerinde hava kararıyordu. İçerde ışıklar yanmıştı. Masaların çoğu boştu. Yemek yiyenler, onlar geçerken dönüp baktılar. Denizden yana köşedeki masaya Güler'i, ötekilerin bakışlarından tedirgin olmasın diye arkası onlara dönük oturttu. O aldırmazdı. Lokantalarda, oturduğu masaya başka gelenler olursa, çevresine büyük şehir yalnızlarının bildiği görünmez perdeler çekerdi. Garsonun uzattığı listeyi aldı.

— Biraz sonra uğrarsın, dedi.

Adam çekildi. Güler'in tedirginliği geçmeyecek gibiydi. Bunu geçirmenin bir tek yolu vardı. Konuşmak yararsızdı ama konuştu:

— Çekinme, dedi, sen görmediğin zaman başkaları da seni görmez. Yalnız ikimiz varız burda. Birlikte ilk yemeğimizi yiyeceğiz.

— Evet. Bize bakmıyorlar mı?

— Yoo, yemek yiyorlar. Biz ne yiyelim? Bir istediğin var mı?

— Bilmem. Sen ne yersen ben de ondan yerim.

Garsonu çağırdı. (Saydığı adlardan Güler'in aklında kalanlar yalnız 'iki kılıç şiş, iki bira, bir ufak Kavaklıdere' idi. Ona ilk defa içki içeceğini söylemeyecekti. Arkasından bir kadın güldü.) Garson, istediklerini getirip çekilince yemeğe başladılar. Az sonra,

— Pintilik etme sakın. İstakoz ister misin? dedi.

— Ah, hep senin zengin olduğunu unutuyorum.

— Zengin değilim ben. Paralıyım.

— Farkı var mı?

— Çok!

Anlamış mıydı acaba? Yoksa balığın bıçaksız yendiğini biliyor diye mi sevinçliydi? Şarap şişesini aldı. İki bardağın diplerine biraz döktü; üstlerini birayla doldurdu. Eli sinirliydi; gergindi. Güler bardağını alıp birkaç yudum içti. Burnu kırıştı. Bu, merdivenlerde görmek istediği kırışıklık değildi: "Çocuksu, güzel. Yoksa onda bağışlayamayacağım bir şey yok mu?" Kendi bardağını kaldırıp sonuna dek içti. Bira bile içse, ilk bardaktan sonra canı sigara isterdi. Paketini çıkarıp dudaklarına bir sigara kıstırdı. Yanında bitiveren garsonun çakıp uzattığı kibrite üfledi. Sol elindeki kutuyu gösterdi.

— Hep kendiminkinden yakarım, dedi. Sen bize iki istakoz getir.

Adam eğilip çekilince sigarasını yaktı. Güler yemeyi bırakmış ona bakıyordu.

— Kırdın onu, dedi.

— Aldırma, kırılmaz. Yaksaydım başımızda döner durur, her sigara çıkarışımda bizi dağıtırdı. İçmiyor musun? Beğenmedin mi? (Güler bardağı ağzına götürdü.) Az iç!

Dinlemedi, hepsini içti. Yemeğine saldırdı. Ağzı dolu dolu,

— Oburum, değil mi? dedi.

— Evet. (Güldü.) Artık çekinmiyor musun?

— Onlardan mı? Sen yanımdayken vız gelirler bana. Ne büyük masa bu! Dizlerini bulamıyorum.

— Öyleyse ayaklarını ver.

Aşağıda ayakları birleştiler. Kelimeler ayrı ayrı önemliydiler. İnsan "diz," "ayak" diye düşünüyordu, "bacak" diye değil. Neden sonra, istakozları biterken, şarap şişesini alıp Güler'in bardağına az az döktü. "Daha, daha" diyordu kafasında Feyyaz'ın sesine benzer bir ses, "Daha. Bu kadarı yetmez. Daha, eh!" durdu. Yarım bardaktı. Üstünü birayla tamamladı. Kalan şarabı kendininkine döküp içti. Bir sigara yaktı. Yanlarından ışıklı bir vapur geçiyordu.

— Bak, vapur geçiyor.

Ona bakmıyordu. Vapur, arkasında kayboldu. Karşı kıyıda, ötekilerden daha parlak bir ışık birden söndü. Sigarasını atıp baktı. Önce bardağı gördü: Boştu.

— Hepsini içmeseydin!

— Susamıştım. Neden bakmıyorsun bana?

Bu gece sanki kirpikleri daha uzundular. Güldü.

— İşte bakıyorum, dedi.

— Oh, hep gülsen! (Ayaklarını sıktı.) Yüzün karardı mı korkuyorum. Hep gül bana, n'olur!

Paketine uzandı.

— Sana da vereyim mi?

— Ver.

Önce onun sigarasını, sonra kendininkini yaktı. Güler öksürdü.

— Bu gece kitapların kötü kadınıyım ben, dedi. Ama nasıl iyiyim bilsen! Bu deniz, bu ışıklar! Ah, her gece gelelim buraya.

— Babanı unutuyor musun?

— Vız gelir hepsi. Babam, ev, çocuklar! Hiçbiri gözümde yok. Sen varsın yalnız. Seninim ben. Al beni.

Kafasında gene o gonk sesine benzer süreksiz tınlamayı duydu. Pastanede, karşısına oturup, "Gece yarısına kadar seninleyim," dediği zaman bile, bu gece ondan bunu işiteceğini bilmiyor muydu? Belki başka türlü ummuştu; şarabın yardımı olmadan. Ama kendi kendini kandıramazdı. O kısacık tınlama süresince kafasından, bunlarla birlikte, Feyyaz'ın "Kadınlar ne çabuk sarhoş olurlar! Bir de oldular mı..." sözü de geçmemiş miydi? Neden çoğu kadınların çabuk sarhoş olduklarını, sanki kendisi onlarla hiç içmemiş gibi, ille Feyyaz'ın sesiyle düşünmüştü? Bilmiyordu. İçinden, "İşte ben buyum!" dedi; ama rahatlayamadı. Güler ona bakıyordu. "Neden bu gece kirpiklerin büyük, gözlerin küçük? Sigara dumanından mı yoksa? Yoksa... Masmavi. Ah! İşte ben buyum." Ayaklarını çekti. Sigarasını küllüğe bastırırken eli yandı.

— Sarhoş oldun sen, dedi.

— Hiç bile! Seni istiyorum ben. Hadi, al beni!

Sonra garsonun bulduğu takside dönerlerken kendi kendinden memnun değildi. Adam taksinin kapısını açıp eğilince bir onluk vermişti. Ucundan tutup uzatmıştı. "— Evine götür beni. Bir daha da bırakma." Lokantadan çıkarlarken Güler onun kolunda, bir güzel kadın böyle bir yerden nasıl çıkarsa öyle, sendelemeden yürümüştü. Oysa şimdi başı kucağında, büzülmüş yatıyordu. "Bir kussa, açılsa!" Altlarında, asfaltla kauçuk sürekli bir fısıltıyla anlaşıyor gibiydiler. "Asfaltla kusmak, işte yirminci yüzyıl. Katı katı naylon, neonların yapma gündüzü..." Donuk, masmavi ışığa gidiyoruz. "Reçel kıvamına gelince indirirsin" demişti teyzem o kadına. "Zehra, şu bacakların yok mu!.." Kulağım! Bu gece bacaklarını öpecem, biliyorsun. Reçel kıvamındasın; az sonra indirecem seni...

— Üşüyorum.

İstinye'den geçiyorlardı. Ceketini çıkarıp üstüne örttü. Güler ona daha bir sokuldu. Soluduğu yerde karnı yanıyordu. Boyuna saçlarını okşuyordu. "Bir kussa, açılsa!" Kendi kendinden memnun değildi.

Şişli'de onu kaldırdı.

— Geliyoruz, dedi.

— Ah, ne rahattım! Başım dönüyor.

— Birden doğruldun da ondan. Şimdi geçer.

Arabayı sokağın başında durdurttu. Şoförün parasını bakmadan verdi. Yürürlerse açılacağını sanıyordu. Salt bu yüzden ceketini onun omuzlarına atmadı; kendi giydi. Yürürlerken Güler koluna abanıyordu. Basamakları çıktılar. Kapıyı açtı. Girdiler. Kapı kapanınca, karanlıkta düğmeyi bulmak için uzattığı eli onun saçlarına çarptı; titredi. Birden sarıldılar. Dudakları buluşuncaya dek geçen kısa zamanda istediğinin bu olmadığını düşünüyordu. Işığı yakmak istemişti. Ona musluğu gösterecekti. Yüzünü yıkarsa açılacağını ummuştu. "Gözleri gene kapalı mı? Kuyuya düşer gibiyim." Onu kendinden ayırdı. Işığı yaktı.

— Gel, dedi.

Yatak odasını açıp düğmeyi çevirdi. Güler, içeri girince kapıyı kapadı. Keskin ışıkta birbirlerine baktılar. O gün ilk defa olarak o zaman rahatladı: Güler'in kirpikleri kısalmış, gözleri büyümüştü. Bu gözler duvarlarda, pencerede, iki iskemlede, halıda gezinip karyolanın üstünde durdu. "Çevresine bakabiliyor. Artık suçum yok benim." Yatağın kıyısına oturdu.

— Nasıl buldun odamı?

— Düşündüğüm gibi değil. Bu yatak... (Kızardı.) Daha geniş sanırdım.

Kızarabildiği için memnundu. Bir şeyler olacaksa şarapsız olacaktı. Gitti onun yanına oturdu. Kolunu omuzlarına atarken Güler titredi. "Korkak seni!" diyecekken kendini tuttu. Bir çeşit kışkırtma olurdu belki, ona korkak olmadığını göstermek için istemediği, içinden gelmeyen bir şey yaptırabilirdi. Eliyle yüzünü çevirip dudaklarına eğildi. Bu öpüşmenin bir eksik yanı vardı. Başka zamanlar ağzındaki dudaklarda yumuşak bir kıpırtı olurdu, sessiz bir türkü söyler gibi. Sonra gözleri... Neden yummuyordu? Sol gözünü görüyordu. Bu göz tuhaf bir tedirginlikle ona değil, başka bir şeye bakıyordu. Güler başını çekti.

— Pencere, dedi. Açık!

Kalktı. Pencereyi kaparken Ayşe'yi hatırladı: Sedire gelmeden önce hep kapıyı kilitlerdi. Perdeyi çekti. Güler sanki yorulmuş da oturuyor gibiydi. Elini alnına götürüp saçlarını geriye silkti. Değişik tanınmaz bir sesle,

— Soyunmam gerek, değil mi? diye sordu.

— İstersen çıkayım ben.

— Ah, hayır! Ama bu ışık...

Gitti, düğmeyi iki kere çevirdi. Odayı donuk, mavi bir ışık kapladı. İçerdeki her şey, Güler'i de aralarına alarak değişir gibi oldular. Yatak büyüdü. Kollarında önüne geçilmez bir sarılma isteğiyle ona yaklaştı; ama sarılamadı. Güler,

— Arkanı dön, n'olur! diyordu.

Döndü. Karşısındaki duvarda *Çıplak* asılıydı. "Masmavi, bulanık. Az sonra o da böyle çıplak olacak. Değil. O gerçek. Etle saç. Çırılçıplak. Yorganın altına kayacak. Kokumu duyar. Yorganın yere düşeceğini bile bile. Gene de başka türlü yapamaz. Neden hep bağışlıyorum onu?" Arkasında bir kumaş hışırtısı duydu. "Etekliğidir bu. Şimdi bacakları çıplak. En önemlisi bacaklarını öpebilmem, biliyorsun. Bir öptüm mü tamam. Burdan çıkamazsın. Bir öptüm mü tamam." Arkasında gene bir kumaş hışırdadı. "Tamam, değil mi? Somya katıdır; gıcırdamaz. Girdin mi? Neden çağırmıyorsun?" Arkasından gelen hıçkırık sesiyle birden döndü. Güler, giyinik, yatağın kıyısına oturmuş, başı ellerinde ağlıyordu. Yüzünün yangını yavaş yavaş sönerken ona yaklaştı. Yanına oturur oturmaz Güler, ellerine sarıldı. Islak bir sesle,

— Yapamıyorum, dedi. Olmuyor. Oysa seni seviyorum, biliyorum. Ama yapamıyorum. Neden, neden olmuyor?

"Çünkü yardım etmiyorum sana," diyecekti, demedi. "Soyunurken, babanın duyunca, nasıl şaşıracağını, başkalarının neler diyeceğini düşündün. Şimdi seni kucaklayıp yatağa yıksam, öpe okşaya etini kışkırtsam, kulağına benden duymak istediklerini söyleyip seni kandırsam her şeyi yeniden unutursun. İstemiyorum böylesini. Yarım bardak şarap içirdim diye nasıl içimi yedim görmedin mi? Bu mavi boşlukta etimiz bile sonuna dek sevişemiyor. Çünkü bu ses geçmez, ışık sızmaz odada bile başkaları bizimle birlik. Ama bir gün babanı, başkalarını kovup geleceksin. O zaman keskin ışıkta soyunup açık pencerede sevişeceğiz. Acelem yok benim, biliyorsun." Kucağındaki saçları öptü.

— Zarar yok, dedi. Ağlama.

— Lokantada nasıl kolaydı! Neden yapamıyorum?

Saçlarını öptü. "Taksiden inince bir bardak daha içseydin şimdi her şey bitmişti."

— Acele ettik, dedi. Hep acele ederiz. Ağlama. Hadi gel, yüzümüzü yıkayalım.

Kadıköy İskelesi'nde Meliha'yı beklerlerken nedense onun sarı saçlı, uzun yüzlü, boyalı bir kız olacağını sanıyordu. Görünce tanıdı. Ona Güler'in adını öğreten kızdı. Önce onu, sonra Güler'i evlerine bırakıp kendi kendine giderken şoföre,

— Karıncalar çıktı mı acaba? diye sordu.

— Bilmiyorum beyim; görmedim.

Evde, yatak odasının kapısını açtığı zaman içerisi hâlâ masmaviydi. Burnunu dikip havayı kokladı. Sevmediği bir koku duymuş gibi gitti pencereyi açtı. Soyundu. Dişlerini, ayaklarını yıkayıp yorganın altına girerken, içinden, "Bu gece yatağımı 'daha geniş' değil, olduğu gibi düşünecek," diyordu.

Sonra iki gün buluştukça hep hızlı yürüdüler. İkinci gün akşamüstü, pazara Mirgün'e gitmek için sözleştiler. Güler, cumartesi evden çıkmayacaktı. Anlıyordu: Ertesi gün huzuru kaçmasın diye evdekilere bir çeşit borç ödemeydi bu.

Pazar iyi başladı. Vapurda, haftasonu gezisine çıkmış gürültücü kalabalığın arasında bile rahattılar. Yavaş sesle ona, kendilerini ille eğlenmek zorunluluğunda sanan bu insanların yapabilecekleri gülünçlükleri büyüterek anlatıyor; onu sık sık güldürüyordu. Mirgün'de inip pideli kebap yediler. Büyük çınarın altında çay içerlerken,

— Bu çınarı dünyanın en büyük çınarı diye düşünmek hoşuma gidiyor, dedi. İster misin, sana dünyanın en küçük denizini de göstereyim?

— Göster.

İsmail Paşa korusunun üstündeki tepeye çıkınca onun elini tuttu.

— Şuradan.

Orada, durdukları yerin üç yanını çalılı, bol yapraklı bir ilkyaz bitimi gürlüğü çeviriyordu. Önlerinde, aşağılarda, daracık bir deniz vardı. Elini bırakmadan oturdu. Çorapsız bacakları yüzünün yakınındaydılar. Pürüzsüzdüler. "Bir öpsem!" Güler hâlâ denize bakıyordu. Çekti, yanına indirdi. Başını göğsüne bastırıp dudaklarını öptü. Gözler açık kaldılar. Acıta acıta öpüyordu ama, ona bir türlü gözlerini yumduramıyordu. Yüreği daralır gibi oldu. Artık dudakları güçsüzdü. Öpüşlerini bile değiştiren bir şey vardı. Neydi bu? Belki yalnız o garson biliyordu. Başını yüzünden ayırıp kucağına bıraktı.

— Ne oluyor bize? diye sordu.

Güler'in gözlerinde iniltili bir bakış vardı.

— Hiç. Buraya benden önce kimlerle geldiğini düşünüyordum.

İçinde bir kırıklık duydu. Söylemeyecekti. Buraya eskiden bir kere tek başına geldiğini söylese inanacak mıydı? "Ya ben! Dudaklarını benden önce kimsenin öpmediğini söylese inanır mıyım? Yoksa salt güvenemediğimiz için mi böyleyiz?" Gözlerini kaldırdı. Karşıdan onlara doğru iki adam geliyordu. Birörnek giyinmişlerdi. Sanki kardeştiler. Yüreği yeniden daraldı.

— Güler, dedi, aşağıdan iki adam geliyor. (Kucağından doğrulmak isteyen başı tuttu.) Kalkma. İyi dinle beni. Kötü şeyler duyacağını sanıyorum. Sakın korkma, ben kavgaya başlarsam aşağı koşarsın. Korkma. (Güler'in yüzü sapsarıydı.) İskelede beni bekle. Sakın kimseye söyleme. Sonra bütün gece karakollarda sürteriz.

Adamlar yirmi adım ötede durdular. Biri, sağdakine,

— Allah versin hemşerim, dedi. Bize de yok mu?

Sanki bu sözü bekliyormuş gibi yüreği genişledi. Yalnız bıyıkları yok diye üzgündü. Sol eliyle Güler'in saçlarından tutuyordu.

— Bana bakın, bu kız benim sevgilim, dedi.

— Hele, hele! Bitirmeyeceğiz ya hemşerim. Sana da kalır.

Sağdaki değirmi yüzlüydü. Güldüler. Sağlam dişli, kanlı canlıydılar. Biri bodur, biri uzuncaydı. Elindeki saçları bıraktı. Doğrulurlarken Güler'in yüzünü gördü. Donuk gözlü, kırışıksız çirkindi. Ona bu yüzü son defa görüyormuş gibi geldi. Onlara doğru yürüdü. "Acele edip koşmasa." Kafası korkunç bir hızla işliyordu. Ötekiler kıpırdadılar.

— Durun, dedi, isterseniz ("Bir adım daha atsam mı?") ona so...

Kundurasının burnuyla sağdakinin kaval kemiğine vurdu. Eğilirken, suratına bütün gücüyle yumruğunu savurdu. Kısacık bir kemik çatırtısı işitti. Birden Güler'in yokuş aşağı koştuğunu gördü. "Düşecek!" Adam, ötekinin ayakları dibine yüzükoyun yığılırken acayip bir 'Uuuuu' sesi çıkardı. Olanlar kafasında kurduğu sıraya uygundu. Sağdakini, bile bile arkadaşının önüne yıkmıştı. Saldırırsa, yıkılan bedenin engeliyle duraksayacak, o zaman onu da soluyla devirecekti. Ama yanıldı. Öteki dönmüş, yokuş aşağı kaçıyordu. Güler'e koşuyor sandı. Yatanın üstünden atlayıp birkaç sıçrayışta ona yetişti. Önünde sallanan yeni tıraşlı, kızarmış enseye vurdu. Adam kapaklandı. Düştüğü yerde büzüldü. Ağlıyordu.

— Kalk, dedi.

Tekmeledi. Kalkmıyordu. Yakasının arkasından tutup kaldırdı. Arkadaşının yanına sürdü.

— Bir cahilliktir ettik abi, yapma...

Neden susmuyordu bu? Kulağı tozuna vurdu. Adam yatanın yanına düştü. Şimdi ikisi de sessizdiler. Uzaklarda bir vapur düdüğü öttü. Gergin sinirleri gevşedi. Eli acıyordu. Yorgundu, güçsüzdü. Bu pis dünyada yaşadığı, ona bu yaptıklarını yaptırdıkları için kızgındı. Bir ağlasaydı! Ama ağlayamazdı. Kulağı yırtıldığı zaman bile ağlayamamıştı.

Tepeden aşağı yürüdü. "Sana da kalır. Neden güldüler sanki! Dişlerini görmeseydim belki vurmazdım. Erkek köpekler gibiyiz." Koruyu geçip yola çıktı. "Kırışıksız çirkin. Ya gözleri! Büyümüş, donmuş. Onu hep o yüzle mi hatırlayacağım? Beni bir daha görmek istemez." Yavaş yürüyordu. Acelesi yoktu. İskeleden ayrılan vapuru gördü. "İşte bu vapurla gidiyor; biliyorum. Yoksa onu son defa gördüğümü sanır mıydım? İyi. Bu gece arkadaşına olanları yazacak. 'Onu bıraktım!' diyecek. 'İnsan onunla oldu mu başına daha korkunç şeyler bile gelebilir.' İyi. Gitsin. İlerde, üç odalı evinde sıkıldığı zaman beni düşünmeyecek mi? Yazık."

Bekleme yerine girince içerdeki birkaç kişiye bakmadı. Biliyordu; gitmişti. Sıralardan birine oturup bacaklarını uzattı. Eli acıyordu. Baktı, sağ elinin üstü kanlıydı.

YAZ

1

Demir parmaklıklı bahçe kapısının üstündeki paslı tenekede yazılı numarayı okudu. Avukat, "— Bulamazsanız sorun," demişti. "Bayan Naciye'nin küçük evi, deyin. Kime sorsanız gösterir." Arkasında bekleyen şoföre döndü.

— Burası, dedi.

Adam arabanın kapağını açıp indirdiği bavulunu yanına getirdi.

— İçeri götüreyim mi?

— Hayır, ben götürürüm.

Koltuğunda, şoförün pencere camı sandığı, yassı, dört köşe, sicimle bağlı bir paket vardı. Parayı öteki eliyle verdi. Arabanın girdiği karşı sokağın ucunda deniz görünüyordu. Terliydi. Sırtı kaşındı. Kapının mandalına basıp itince demir kanat, paslı bir gıcırtıyla ağır ağır geriledi. İlerde Bayan Naciye ile konuşurlarsa, onun sesinde de bu gıcırtıyı arayacağını biliyordu. Hem neden, "Naciyanım" değil de, "Bayan Naciye" idi? Bavulu kaldırıp yürüdü. Filiz yeşiline boyalı tahta yapı, çevresindeki yüksek ağaçların altında, olduğundan daha küçük görünüyordu. Oyma tahtadan, uzun saçaklıydı. Cebinden çıkardığı anahtarla kapıyı açıp girince belli belirsiz bir bayat reçine kokusu duydu. İçerisi serindi. Salon, karşıdaki, perdeleri iki yana asılı büyük pencereden ışık alıyordu. Ortada alaca örtülü bir masa vardı. Üstündeki çini vazo boştu. Demek Bayan Naciye'nin küçük evi buydu. Avukata, "— Bir de büyüğü mü var?" diye sormuştu. "— Evet. Onu pansiyon olarak işletiyor."

Elindekileri bırakıp evi dolaştı. Oturma odasını, iki yatak odasını, mutfağı, banyoyu gördü. Lambaları, muslukları denedi.

Ayakyolunun kapısını açınca orayı da denedi. Bütün pencereler dışardan telli, kahverengi keten perdeliydiler. İyi hoştu ama odalar sanki eşyayla tıklım tıklımdılar. Hele sedirli, koltuklu, masalı, sehpalı oturma odası... Dün gece avukat, "Eşyasıyla tuttum," demişti. "Başka koyacak yeri yokmuş. Yarın çantanızı alıp gidebilirsiniz."

On gün önce, Mirgün'den döndüğü akşam avukatı çağırmış, bu yaz Suadiye'de mi olur, Caddebostan'da mı, oralarda bir yerde kalmak istediğini söylemişti. Tutacağı ev denizden pek uzak olmayacaktı. Avukatın yüzü asılmış, "— Paraya yazık," demişti. "Heybeli'deki evi bırakmamıştık." "— İyi ya, orda bu yaz çoluk çocuk siz oturursunuz," deyince –yoksa ona mı öyle geldi– adamın kulaklarının bir an kıpırdadığını görmüştü. İnsan kafasında en çirkin yerin kulaklar olduğunu sık sık düşünürdü. Hele arkadan bakıldı mı nasıl gülünçtüler! Anladık, kişi duysun diye vardılar. Ama bir başka biçimleri olamaz mıydı? Nasıl? Bilmiyordu. En iyisi kişinin kulaksız yaratılmasıydı. O zaman belki yüzünün derisiyle duyardı, ya da böcekler gibi kıllarıyla... Demek bu adamın kulakları da çift görevliydiler: Hem işitiyor, hem de işittiği sözden hoşlandığını belirtebiliyordu. Kulağını kaşıdı.

Sağdaki yatak odasına girdi. Odanın tek penceresinden, arkadaki ağaçların yarı yarıya gizlediği iki katlı bir ev görünüyordu. Tanıdığı birine benzeyen bir kadın evin dirseğini dönüp kayboldu. İçerdeki iki kocaman koltuğu salona taşıdı. Geniş karyolanın üstüne oturup kalktı. İyiydi. Dönerken gıcırdayan somyalarda uyuyamazdı. Giysi dolabı kapının arkasındaydı. Pencereye yakın köşede aynalı bir masa vardı. Bunu da çıkarmak isterdi ama nereye koyacağını bilemiyordu. Kim bilir ondan önce burada kimler yaşamıştı! İnsanlar girdikleri yerden bir iz bırakmadan çıkamazlardı. Birden bunu bir kere de eskiden düşündüğünü sandı. Neredeydi, hatırlayamadı. Çekmeceyi kapadı. Saç tokasını salondaki vazonun içine attı. Bavulu, yassı paketi alıp odaya girdi. Paketi yatağın üstüne fırlattı. (Şoför yanılmıştı. Cam olsaydı kırılırdı.) Bavulu açıp iki keten pantolonu dolaba astı; altına çamaşırlarını yerleştirdi. Kitapları masanın üstüne sıraladı. Gözlerden birine tıraş takımını, diş fırçasını koydu. Boş bavulu ayağıyla ite ite karyolanın altına tıktı. Önündeki paketi alıp sicimini kopardı. Kâğıdı yırtınca içinden iki resim çıktı: "Çıplak"la "İkindi Kahvaltısı". Neden apartmandaki yüzlerce resmin arasından bunları getirmişti? Para vermeden edindiği yalnız bu ikisiydi de ondan mı? Belki... Acaba Kemal Fransa'dan dönmüş müydü? Hatırlıyordu. O gün atölyede, "— Bu resmi alacam," demişti. "— Al!" Sonra elini iç cebine soktuğunu görünce Kemal üstüne yürümüş, "— Ulan, değişmeyeceksin sen," demişti. "Hep para verip rahatlarsın. Resim hoşuna gittiyse al. Paranı bilmem nerene sok!" Güldü. Doğruydu. Üç yıldır değişmemişti. On gün önce avukata, "— Paraya acıma," demişti. "Ne derlerse ver. Yalnız beni rahat bırakacakları bir ev tut."

Resmi karşı duvara çakılı bir çiviye astı. Çivinin altındaki yağlıboyada dört köşe bir solukluk vardı. Acaba ondan öncekilerin buraya astığı neydi? Bir "Vita" takvimi mi? Ya Ayşe'ninkini nereye asacaktı? Yoksa o korkunç oturma odasına mı? Kıyamadı. Gitti evin içinde bir çivi aradı. Sonunda vazodaki saç tokasını iki tahta arasına sokup onu da ötekinin yanına astı. Yan yana nasıl durdular diye bakmadı. Terliydi. Denize gitmek istiyordu. Soyundu. Mayosunu, pantolonunu, gömleğini giydi. Ceketine uzanıp sigarayı, kibriti, anahtarı pantolon ceplerine aktardı. Paraları çıkarınca duraksadı. Birazını arka cebine koyup kalanını masadaki kitaplardan birinin arasına yaydı. Yaptığı işe aynadan pis pis bakan görüntüsüne dilini çıkardı. Birden kaşlarını çatıp aynadaki adama eğildi,

— Eyvallah, Bayan Naciye'nin sayın kiracısı, dedi.

Dışarısı sıcaktı. Plajı tenha bulunca sevindi, ama denizde çok kalmadı. Geçen yılki gibi omuzlarını yakıp günlerce suya giremeyeceğinden korkuyordu. Bir saat sonra eve döndü. Çırılçıplak soyunup yattı. Karşıki evin yapraklar arasından görünen pencerelerinden birine bakmak istedikçe gözkapakları düşü düşüveriyordu. Sağ elinde bir kaşıntı duydu. Bakınca, elin üstündeki ufacık yara kabuğunun kıyısında bir sinek gördü. Dış kapıdan onunla birlik girmiş olacaktı. Arka ayaklarıyla kanatlarını kaşıyordu. Elini sallayıp kovdu. Uçuşunu gözleriyle izledi. Sinek "İkindi Kahvaltısı"ndaki acayip yemişlerden birine kondu. "Bak hınzıra, şimdi Tanrı'nın yemişine pisleyecek?" Kıkır kıkır gülerken gitti iki yanından iki elini çarpıp sineği havada öldürdü. Yatağına uzanıp uyudu. Düşünde, Güler'le ılık bir denizde yüzdüler. Yüzü, son gördüğündeki yüz değildi.

Akşamüstü asfalt caddenin kalabalığı arasında yürürken neden şaşırmış gibiydi? Öğle tenhalığının geçici olduğunu bilmiyor muydu? Burası da ötekilere benzer bir başka "Yazlık"tı. İşten dönenler, akşam gezintisine –değil, sürtünmesine– çıkanlar, korkunç gömlekli delikanlılar, bisikletlere binmiş şortlu kızlar, çevik bakışlı dedikodu arayıcılar, hepsi de bu otomobil kornalı, bisiklet zilli, ıslıklı gürültüde sanki sevinçliydiler. İçinde bir kararma başladı. Kimi arıyordu burda? Belki yan sokaktaki evlerden birinin penceresinde üzgün, bıkkın, onun gelmesini bekliyordu. "Aramıyorum. Açım, yemeğe gidiyorum." Yakınında acı acı zırlayan bir zil sesiyle kaldırıma çıkıp başını çevirdi. Bisikletteki kızın düzgün, tüysüz bacakları vardı. Yanından geçerken kız, yaptığı şakadan memnun, ona dilini çıkarıp hızlandı. "Küçük daha, ama kancık!" Sağındaki dükkân levhalarını okuya okuya yürüyordu. Üstünde "Lokanta" yazılı bir kapıdan girdi. Kalabalıktı. Yanına oturduğu yaşlı adamın burnunun tepesinde ucu sivri bir ben vardı. Garsondan balıkla bira isteyip perdelerini çekti.

Yemekten sonra, denize giderken, bir sokak köşesine yerleşmiş genç, sapasağlam dilencinin uzattığı ele bütün bir beş lira bıraktı. Dilenci arkasından,

— Beyim, diye seslendi.

Döndü. Parayı gösteriyordu.

— Verdiğiniz beşlikti.

— İyi ya. Yemene bak!

Yürüdü. Dilencinin yüzü hoşuna gitmişti. Kıs kıs güldü. Yarın akşam ona bir kertikli kuruş verecekti. Unutmazdı. Doğrusu böyle tatlı şakalar da olmasa insan bu dünyada nasıl yaşardı? Önünden geçen kadın, kendine mi güldüğünü sandı ne, ters ters baktı. Neşesi kaçtı. "Yürüyelim. Bilmediğim şey değil." Durdu. "Ya deniz? Sonra." Geriye dönüp arkasına takıldı. Kolsuz giysinin üstündeki çiçeklerin rengini seçemedi. Yazın, sanki akşam olmadan gece başlıyordu. On adım ilersindeki kadın –"Yoksa kız mı? Çorapsız..."– başını çevirip baktı. Yürüyüşü değişir gibi oldu. Az sonra bir başka sokağa saparken bir daha baktı. Bu sokağın lambaları, sıra ağaçların altını aydınlatamıyordu. Loştu. Bahçelerin parmaklıklarına sarılmış hanımellerinin kokusunu duyuyordu. Kadın, bir ağacın altında durup ona döndü.

Görmek istediği yalnız bu değil miydi? O ters bakışın yapmacık, alışılmış bir kibir gösterisi olduğunu bilmiyormuş gibi, bir daha öğrenmek için arkasına düşmemiş miydi? Öyleyse neden yaklaştı ona? Bilmiyordu. Kadın,

— Sizin başka işiniz yok mu? diye sordu.

— Hayır. Aylakım ben.

Fıkırdadı. Çekik burnuyla bir tanıdığına benziyordu.

— Evime yaklaştık, dedi. Gidin artık. Hem nişanlıyım ben.

Yüzüğünü göstermek için elini ona uzattı. Oysa bu eli tutup sıktı.

— Sevindim buna, dedi. Evliyim diyeceğinizden korkuyordum.

Avucundaki elde bir "kalsam mı, çekilsem mi" savaşı vardı. Durdukları yer karanlıktı ama, yoldan bir geçen olsa çekileceğini biliyordu. Kızın sırtını ağacın gövdesine dayayıp ona eğildi.

— Ne yapıyorsunuz? Ah, göre...

Ağzını dudaklarıyla kapadı. Önce bir ruj kokusu duydu. İnce kumaşın altında göğsü sertti. Kızın dudaklarında bir kabarma, bedeninde bir yumuşama başladı. "İşte bundan yaklaştım ona. Bu yumuşayan etin tadını yeniden duymak için." Birden kafasında Güler'in yüzünü gördü. Kız ona benziyordu. Gözleri mavi, burnu güzel olsa daha da benzeyecekti. Çekildi. Ayrılır ayrılmaz oradan kaçar gibi uzaklaştı. Köşeyi dönünce elinin tersiyle dudaklarını sildi; kokladı. Ruj kokuyordu. Sevmedi. Tükürdü. Bir sigara yaktı. Kıyıya yakın sokaklarda insanlar görüyordu. Çoğu kadındı. Salıncaklı iskemlelerde sallanıyorlar; evlerden çıkıyorlar, evlere giriyorlardı. Dünyada gereğinden çok kadın vardı.

İnsansız bir kumlukta telaşla soyunup denize atladı. Yoruluncaya dek açıldı. Kıyıdaki bir hoparlörden gelen ağlamaklı kadın sesini işitiyordu ama, artık bu sesin okuduğu şarkı onu tedirgin etmiyordu. Su serindi. Kıyıya doğru yüzerken pantolonuyla gömleğinin çalınmış olabileceğini düşündü. Aldırmadı. Kumların üstüne yatar, el ayak çekildi mi eve giderdi. Sudan çıkınca onları bıraktığı yerde buldu.

Eve gelirken on paket sigarayla bir deste kibrit aldı. Odasının ışığını yaktı. Elindekileri karyolanın altına, boş bavula koydu. Çevresine bakındı. Yoktu. Oturma odasını da aradı. Orada da yoktu. Bunca lüzumsuz eşya vardı da, neden en gereken, bir sigara küllüğü yoktu. Kadınlar da böyleydi. Dünyada gereğinden çok kadın vardı ama, yalnız bir teki yoktu. Salondaki vazoyu alıp yatağının kıyısına koydu. Işığı söndürdü. Yastığı doğrultup sırtını dayadı. Sigarasını yaktı. Ağaç yaprakları arasından görünen karşı pencere ışıklıydı. Gözlerini oraya dikip üst üste üç sigara içti. Pencere kararınca elindeki izmariti vazoya bırakıp yattı.

Üç gün sonra, sabah saat ona doğru plaja yaklaştığı zaman denizi, kumsalı insanla dolu buldu. Galiba bugün pazardı. Yoksa yeniden günlerin adıyla mı ilgilenmeye başlayacaktı? Bu pazar insanlarının arasından sıyrılıp denize açılabilirdi. Yapamayacağı, onlarla birlik kumsalda yatmaktı. Oysa en hoşlandığı, bir çöl bitkisi gibi rahat, sıcak kumdaki bu yatıştı. Geriye dönüp karşısında Sami'yi görünce şaşırdı. Yanında bir kız vardı. Sami koştu:

— Vay abi! dedi. Burdasın ha! Neden atölyeye hiç gelmiyorsun? Plaja mı?

— Hayır. Gidiyordum.

Sami, kızı gösterdi.

— Bu B., dedi. ("Ablam" deseydi belki tanışırlardı. Ondan iki yaş küçük olduğundan mı, yoksa bir erkek çocuk şımarıklığıyla mı, ona abla demez, B. derdi. Birbirlerini bilmeden ellerini sıktılar.)

Mavi gözlüydü. "Neden böyle bakıyor bana? Rahatlarını kaçıracam diye mi korkuyor?" Sami,

— Bizimle plaja gelirsin değil mi? diye sordu.

— Hayır. Hasta gibiyim. Bir gün atölyeye uğrarım.

— Beklerim. Sana bir resim göstermek istiyorum.

Yürüdü. "Ressamların resim alıcısı... Bu çocuk, benim resim almayı bıraktığımı daha bilmiyor." Bir lokantaya girdi. Suratı asıktı. Yemeğini sık sık burada yediği için "müşteri" sanacaklarından çekiniyordu. Üç gündür canının istediği zaman yüzüyor, kumsalda uzanıyor, sokaklarda dolaşıyor, uyuyordu. Yalnız geceler değişmiyordu. Her gece sırtını yastığa dayayıp, perdesi kararıncaya değin karşı pencereye bakar, boyuna sigara içerdi. Lokantadan çıkınca gitti odasına kapandı. Önce kitap okudu, sonra uyudu.

Akşamüstü tenha denizde hava kararırken, keyfince yüzüyordu. Bir ara ters dönüp, suyun üstüne ölü deniz yosunları gibi yayıldı. Gökyüzüne baktı. (Korkmayın, felsefeden hoşlanmam.) "Neceeriii!" Kıyıdan gelen kadın sesinin ahengi, insana bulanık havada sıcak, geniş yataklı bir odanın özlemini duyuruyordu. "Neeriii!" Altındaki su soğuyuvermiş gibi ürperdi. Birden o köşedeki dilenciye kertikli kuruşu vermeyi unuttuğunu düşündü.

2

Mirgün'deki tepede, o iki adamla bir daha dövüşürken uyandı. Kapı çalınıyordu. Kimdi acaba? Elinin üstüne baktı: Yaranın izi bile görünmüyordu. Belki de su parası almaya gelmişlerdi. Terliklerini giydi. Pijamasının önünü ilikledi; gitti kapıyı açtı. Yaşlıca, yüzü pürtük bir kadındı. Dünyada bu kadar kuru bir kadın olacağını sanmazdı.

— Rahatsız ettim, dedi. Süpürgeye gelmiştim.

— Toz yok daha. Haftaya gelirsin.

— Bayan Naciye...

Kapıyı çarptı. "Bayan Naciye'nin boynu kopsun. Demek hizmetçinin çirkini de olurmuş!" Yürürken döndü. Kapıyı yeniden açtı. Kadın oradaydı.

— Gel, dedi. Yalnız bana Bayan Naciye'den söz etme.

Ayakyoluna girdi. "Karı, sevgili eşyasını temiz düşünmek istiyor." Kafasında irice, sarkık yanaklı, alınmış kaşlı, yazın bile uzun kol-dik yaka, kara giysiler giyen, hâlâ "rahmetli"nin yasındaymış gibi görünen bir kadın vardı.

Gömleğini giyip odadan çıkarken döndü; kitapların durduğu masaya yaklaştı. Aynadan Bayan Naciye'nin kiracısı ona sinsi sinsi bakıyordu. Aklındaki kitabı açmadan bıraktı çıktı. Oturma odasındaki kadın süpürge elinde, doğruldu. Alaca örtünün üstüne bir onluk koydu.

— Bu senin, dedi.

Bahçe kapısı artık ilk günkü kadar gıcırdamıyordu. "Hep para verip rahatlayacaksın! Ne yapayım ya? İnsanların en kolay anladıkları onun dili değil mi? Ne derdi İzmirli? 'Kötü yaşıyoruz, kötü.' Gene de çalardı." Kağızman'daki oda arkadaşını düşünüyordu.

Sonra, denizden çıkıp kumsala uzandığı zaman, bacaklarındaki kıllarda incecik bir yel esiyordu. Derisi karardıkça bu kılların rengi sanki açılıyordu. Topuklarıyla kumu eşeledi. Altı serindi. Sağından gelen gülüşmelere başını çevirdi. Uzağında, biri oğlan biri kız iki çocuk allı yeşilli kocaman bir topla oynuyorlardı. Arkalarında giyinik, yaşlı bir adam –dedeleri olacaktı– kırmızı çizgili güneşliğin altına oturmuş gazete okuyordu. İnsanlarda anlayamadığı bir şey de gazete okumalarıydı. Neden her sabah içlerini karartmak gereğini duyarlardı acaba? Futbol maçı hastalarınınkini anlıyordu. "Ya ötekiler? Binlerce gazete satılıyor bu şehirde. Örneğin şu yaşlı adam! Yoksa FATİH'TE İKİ EV YANDI başlığını görüp 'İyi, Benim orada evim yok,' diye düşünebilmek rahatlığı için mi okur? BİR ADAM KARISINI ÖLDÜRDÜ. 'İyi etmiş. Kim bilir ne namussuzdu.' ÇİN'DE İSYAN. 'Beter olsunlar, kırsınlar birbirlerini. Bize dokunmasınlar da!..' Bu 'biz' dediği daha çok 'ben' değil mi? 'Ben, benim, bana, beni!' Herkes 'Ben'. Aşçıdaki adamın beni sivriydi. İhtiyarı buraya çocuklar boğulmasın diye göndermişler. Kızı mı, gelini mi? Babaları iştedir. Akşama döner. 'Neeeriii, bak baban geldi.' Bu kız büyüyünce anası gibi olur. Ak baldır, kızıl topuk... Milyonlarca kadından biri. Korkunç!.. Milyonlarca kadın... İçlerinden bir teki! Ya bu geniş kalçalı, büyük butlu çocuk? İnsanların geleceğini bedenlerinin, yüzlerinin biçimi düzenler. Al işte ihtiyarı. Neden pantolonunu çıkarmıyor? Ya bacakları tüysüzdür ya da damar düğümleri vardır. Büyük butlu çocuk... Okula gidince arkadaşları takılır. Üzgünlüğünü belli etmek istemez. Geceleri yorganın altında gizli gizli ağlar. İnsanlara küser. Büyüyünce kadınların önünde çekingen olacak. Kalçalarına güleceklerini sanacak. Ne iş tutar acaba? Büyük butlu; oturak iş tutsun. Sayman olsun. Banka müdürü olsun. Ya okuyamazsa? Gişede bilet satıcısı? Terzi." Bu çocuğa uygun bir iş bulamıyordu. Lapacıydı, aylak olamazdı. Aylak olmak dünyanın en güç işiydi. Tuttu okulu bitirdiği yıl üçüncü dünya savaşında öldürdü.

Başını sola çevirdi. Yirmi adım ötesinde esmer, güzel bir bacak büküle açıla uğraşıyor, topladığı kumları öbür ayağın üstüne yığıyordu. Ayak küçüldü, küçüldü, kayboldu. Kadının bacağı başka yapacağı kalmamış gibi bir zaman durdu. Soluğu hızlandı. Burnunun yakınındaki kumlar midye kabuğu kokuyordu. Kulağını kaşıdı. Neden denize girmiyordu bu kadın? Birden ayağın üstündeki yığından kumlar aşağı kaymaya başladı. Parmaklar, yuvasından ışığa çıkmış bir köstebek yavrusu gibi şaşkın, kıpır kıpır göründü. Kadın, ayaklarını silkip, bu oyunu ta baştan bir daha oynadı. Sonunda yığını dağıtıp bacaklarını uzattı. Sanki tedirgindiler. Kendilerine bakıldığını mı biliyorlardı? Gözlerini onlardan ayıramıyordu. Kumlarda hep o midye kabuğu kokusu vardı. Sonra kadın ayağa kalktı. "Gidiyor. İyi. Denize..." Bacaklar ona doğru geldi. Artık kıllarında esen yeli duymadı. Bacaklar yakınında durdu. Gözlerini mavi mayodan aşırıp yüzüne baktı. Ayşe'ydi.

— Neden benim yanıma gelmedin?

Gergin bir sesti. Doğrulup otururken duyduğu şaşkınlık utanmayla karışıktı. "Tanıyamadım seni. Yalnız bacaklarını görüyordum" diyemedi. Belki istese de söyleyemeyecekti. Daralmış ciğerlerine bu söze yetecek kadar hava sığmazdı.

— Çünkü korktun, değil mi?

Katı bir sesti. Arkasındaki çocuklar güldüler. "Böyle içten yalnız çocuklar gülebilir. Bir de deliler... Eskiden başımı bu bacaklarda yatırmıştım." Sanki giyinikmiş gibi elini cebine uzattı. Sigara içmek istiyordu. Hep böyleydi. Bir şey en gerektiği anda olmazdı.

— Sıkılma, gidecem şimdi. Sana bildiğimi söylemeye geldim. Seni aldatmadığımı biliyordun. Beni yolda Selim'le gördüğün zaman buna inanmış olabilirsin. Ama düşününce anladın. Bunu anlayamayacak insan değildin sen. Gene de gelmedin. Çünkü korktun. O gün bana öyle sapsarı baktıktan sonra karşıma çıkmanın kısacık sıkıntısından korktun. Oysa ben nasıl beklemiştim seni! Atölyede, sinema kapılarında...

Titrek bir sesti. "Bir bakıma haklı. Hepimiz korkağız. Korktuğumuz için severiz; korktuğumuz için yaşarız; korku yüzünden öldürürüz. En kötüsü kısa sıkıntılardan korkarız. Ama yalnız bu mu? Ya sedire gelirken kapıyı kilitlemesi..."

— Sonra beni bulamayacağını bile bile atölyeye geceleyin geldin. Beni düşünmekten kurtulmak istiyordun, değil mi? Bari kurtulabildin mi?

Tanıdık bir sesti. "İşte onun sesi bu." Göğsündeki yük kalktı. Derin derin soludu.

— Hayır, dedi. Neden ayaktasın? Otursana.

— Gidecem. Sana bunu sormaya gelmiştim. Bu sabah seni evden çıkarken gördüm.

— Demek sen de burada kalıyorsun?

— Evet. Seninkinin yanındaki evde. Naciye ablanın pansiyonunda.

Bayan Naciye'ye Naciye abla demesi tuhaftı. Gitmesin istiyordu. Ondan soracakları, ona anlatacakları vardı.

— Gitme, kal! dedi.

— Bugün olmaz. Kalamam.

— Haklısın. Hadi git.

Arkasından bakmadı. Ellerini ensesinde kenetleyip yattı. Açıkta, durgun denizin ortasında insansız bir kayık vardı. Sağındaki yaşlı adam çocuklara bir şeyler söylüyordu. Anlayamadı. Çocuklar güldüler. "Bugün olmaz! Demek yarın olabilir. Altı buçuk ay geçmiş. Kısa sıkıntılardan korku... Belli, çok düşünmüş beni. Anlamış. Ama anlayamadığı bir şey yok mu, benim bile anlayamadığım? 'Annem diyor ki...' gibi, 'Bugün olmaz' gibi... Bugünün çok uzun olduğunu bilmiyor mu? Kalsaydı şu kayığa dek yüzerdik. Neden kıpırtısız? Kayıkçı yatıp uyumuş mu? İlk geldiğim gün, koltukları salona taşırken onun karşı evin dirseğini döndüğünü görmüştüm. Değildir, diyordum ama, geceleri hep o pencereye bakıyordum. Kalsaydı onun penceresi olup olmadığını öğrenecektim. Ona Güler'i anlatırdım. Kulağını öpmüştüm. Altı buçuk ay! Boşuna... Yoksa kayıktaki adam ölüsünü balıklar yesin diye kendini açıkta mı öldürdü?" Dayanılmaz bir sigara içmek isteğiyle doğruldu. Soyunduğu yere gidip önce bir sigara yaktı, sonra giyindi.

Öğleyin, odasında çırılçıplak yatağa uzanmış terliyordu. Esintisiz, bungun bir havaydı. Belki Ayşe de şu pencerenin ardında sıkılıyordu. "Bugün olmaz" demişti. Sanki bugün her günden daha sıcaktı. Elinin tersiyle ıslanmış sigarayı ağzına götürüp çekiştirdi. Bu havada ağaç altları bile buradan sıcak olurdu. Kitap da okunmazdı. Çabucak kalkıp kitaplara doğru yürüdü. Sağdaki sıradan üçüncü kitabı alıp karıştırdı. Paralar yoktu. İkincisine baktı! Ondaydılar. Dokunulmamıştı. İçlerinden biri çalınmış olsa farkına varacak mıydı? Parasını hiç saymazdı. Kitabı yerine bıraktı. "Belki bütün sıkıntılarının sebebi bu. Belki paranın kendisi değil de sayısı önemlidir. İnsanların yaşamasında önemli olan, ayrıntılar değil mi? Ayrıntısız yaşayan yalnız bitkiler. Azotlu, sulu, klorofilli, güneş ışıklı bir yaşama. Biraz da hayvanlar. At, aşacağı kısrak topalmış, kemikliymiş aldırmaz. Gene de yem yediği ahırın, çifte koşulduğu tarlanın yolunu ayırır. Köpekler, görmeye alışmadıkları bir çeşit giysi giymiş insana havlarlar. Ya insanlar? Onların yaşamasında her şey ayrıntı. Önemli olan yemek değil, yenecek yemeğin çeşididir; giysi değil, giysinin çeşidi; ayakkabının çeşidi. Günlerin adı bile... Belli günlerde belli yaşamaları vardır. Pazar günleri pazarlık yaşamalarını kuşanırlar, çarşambaları çarşambalık! Hep ayrıntılar! Paranın sayısı gibi. Güler'in mavi gözlü oluşu gibi." Sigarasını vazonun kıyısında ezdi. "Ayşe'nin bacaklarının esmer oluşu gibi. Sabahki kuru kadının bir erkekle yatmadığına kalıbımı basarım." Hava sıcaktı; bungundu. Yatağına serildi. Bayılmış gibi uyudu.

Nice sonra düşünde Ayşe'yle açıktaki kayığa yüzüyorlardı. Kıyısına tutundukları zaman sakallı bir adam ellerine kürekle vurdu. "İstemiyorum. Gidin," diyordu. Yüzlerine tükürüyordu. Sildikçe sıvışan bir tükürüktü. Adamı tanıdı: İzmirliydi. Kıyıya kaçtılar. Kuru kadın yanan bir çama sarılıp "ateş dansı"na başlayınca uyandı. Terliydi. Ancak banyoda, soğuk suya girince rahatlayabildi. Uzun zaman kaldı. İnsansız kayığı merak etmese belki hiç çıkmazdı.

Sokakta üstüne yüklenen, yüzünü yalayan havayı görür gibi oldu. Okulda ona havayı "gözle görülmez" diye öğretmişlerdi. İşte görüyordu. Bundan böyle bu tanımlamanın değişmesi gerekti. Ya da "195... yılı temmuzunun 'ayın kaçı acaba?' falanca günü, akşama doğru bir kere görülmüştür" diye eklerlerdi. Dünyada bilim adamları vardı. Tarlalarda, fabrikalarda, yapılarda, terzi atölyelerinde çalışanlar vardı. Ellerine kıl yapışmış berberler... Terle ıslak, boğazları sarılı boğazları sarılı berber koltuklarında oturanlar.. Kaşıntılar.. "—Akşama konuğumuz var da!" Doğrusu dayanıklı yaratıktı şu insanlar. Kıyıda durup bakındı. Kayık yoktu. Uzaktan dumanı ardına asılı bir vapur geçiyordu. Deniz kırışıksızdı. İçine atlasa, sanki kaynak zeytinyağına düşmüş gibi olacaktı. Bir sigara yakıp, ayakta, güneşin batmasını bekledi. Batınca gidip et yanığı kokan, sıkıntılı bir lokantada yemek yiyecekti. "Sonra? Ne bileyim!" Günün tamamlanması için önünde daha saatleri uzun bir gece vardı.

Geceleyin odasına girince karşı pencereyi ışıksız buldu. Karanlıkta soyunup yattı. Artık sıcak değildi ama ağır, ezici bir havaydı. Bir şeyler olmasını bekliyordu insan, bir değişiklik. Ellerini bedeninde gezdirdi. "Yüzünü tellere dayasa. 'Açsana kapıyı' dese..." Kafasını sarstı. "Düşünmemeli. Uyumalı! Nasıl?" Uykusu yoktu. Sergide, onu ilk gördüğü günü düşündü. "O kurşun rengi resmi bana vermek istemişti. Parasız!.. Duvardaki yemişler onun. Unuttu mu? 'Bugün olmaz, kalamam.' Neden tutmadım onu? Haklısın dedim, hadi git." Plajda topuğundan çekip yanına düşürseydi şimdi burada olacaktı. Güneş yanığı bacakları vardı. Alnını sıktı. "Uyumalı!" Yarına çabuk varmanın en kısa yolu uyumaktı. Hava ağırdı. "Saysam?" İki bin üç yüz yirmi üç. Öleceğim yıla gelince uyuyacam. İki bin üç yüz yirmi iki, iki bin üç yüz yirmi bir. Bu yıl dünyada kulaksız insanlar türeyecek. İki bin üç yüz yirmi... İki bin iki yüz doksan altı. 'Zehra! Şu bacakların yok mu!' İki bin..." Kulağını kaşırken şaşırdı. Az baştan alıp yeniden saymaya başladı. Arada kafasına acayip düşünceler yükleniyordu. Bu gidişle, uyuyamadan, öleceği yılı değil, belki dedesinin doğum yılını bile bulacaktı. Kesintisiz suskunlukta, iki bin yüz yetmiş üçü sayarken ağaç yapraklarının fısırtısını duydu. Gözlerini açtı. Bir an çakan şimşeğin kısa parıltısında ağaçlarla birlik karşı evi görüp yitirdi. Sonra uyuklayan şehri yerinden hoplatacak bir çatırtıyla gök gürledi. Ağaçlar sürekli bir uğultuya başladılar. Yakınlarda bir boş teneke yuvarlandı. Birden şakır şakır bir sağanak boşandı. Artık dışarda kısa ışıklı, gök gürültülü, uğultulu, şakırtılı bir karışıklıktan başka bir şey yok gibiydi. Yataktan fırladı. Beklediği değişiklik bu değil miydi? El yordamıyla giyindi.

Bahçe kapısından çıkarken sırsıklamdı. Fırtınanın salladığı lambaların donuk aydınlığındaki kimsesiz sokak bile güzeldi. Nerdeydi insanlar? Onlar yalnız evleri yanarken dışarı uğrarlardı. Dünyanın şakırtılı yıkanışına karışmanın sevinci içinde yavaş yürüyordu. Savrulan iri damlalar yüzüne çarptıkça daha istiyordu. Bu yürek büyütücü sevinç var olmanın, yaşamanın sevinciydi; biliyordu. Şimdi görse, kasap çengellerine asılı etlerden iğrenmezdi. "Çorbanın buğusu, kızaran etin kokusu, buzdolaplarında kara çekirdekli, kırmızı karpuzlar..." Denize yaklaştığı zaman, sağanak başladığı gibi birden kesildi. Ağaçların uğultusu, uzak gök gürültüleri sanki artar gibi oldular. Burnunda, karışmış denizin koyu kokusu vardı. Kumsalda durup soyundu. Hafifleyen yelde bedeni kururken kafasında bir piyano Bach'dan ezgiler çalıyordu. "Arkamda biri var." Kum çıtırtısına, insan solumasına benzer bir sesti. Dönüp bakmadı; biliyordu.

— Ayşe!

— Benim.

Başka kim olabilirdi! Ötekiler bu yıkanmış, arınmış, yosun kokulu havayı yataklarına gelsin diye beklerlerdi. "Kadın bekler gibi... Yataklarına gelenle yetinirler." Onu burada ancak "o", aradığı, "milyonlarca kadından biri" bulabilirdi. Koluna yaslanan çıplak omzu sarıp kendine bastırdı. Yoksa buraya birlikte mi gelmişlerdi? Yoksa o soyunurken Ayşe de mi soyunmuştu? Artık dünyadaki kadın bolluğunu düşündükçe içi kararmayacaktı. Yanındaydı. Kafasında ezgilerin en güzeli çalınıyordu.

— Ezgiyi duyuyor musun?

— Evet.

Elbet duyacaktı! Boşuna harcanmış altı buçuk ayın ivecenliğiyle diz çöküp bacaklarını öptü. Aralarında ne babasının bıyıklı suratı vardı, ne de kulak kaşıntısı. Onu bacaklarından kucaklayıp yanına indirdi. Islak kumlara birlikte devrildiler. Konuşmasız, korkusuz, bir bardak su içer gibi... Saçlarının arasında durmadan bir el geziniyordu. Bir ara uzaklardan gelen bir gök gürültüsü, gittikçe azala azala uzun zaman sürdü, sonra bitti.

3

Sağanak gecesinden önce birisi ona, yakında yemeklerini Bayan Naciye'nin pansiyonunda yiyeceğini söyleseydi gülerdi. Lokantalardan birine "müşteri" olmayı bile düşünebilirdi de bu aklına gelmezdi. Ama oldu. İki haftadır geniş salondaki yemek masasında, Naciye ablanın "misafir"leri arasında –artık Ayşe gibi Naciye abla diyordu– onun da bir "yer"i vardı. Naciye abla, kiracılarına teklifsiz misafirleri gibi davranırdı. Kiracılar irili ufaklı on kişiydiler. Lise müdürü, karısı, iki kızı; mühendis, karısı, üç kızı; bir de Ayşe. Babası, annesiyle birlikte İtalya'ya giderken onun, işlerine bakan bu mühendisin ailesiyle yazlıkta kalmasını istemişti. Ayşe "— İyi ki geldim" demişti. "— Sen niye gitmedin onlarla?" "— Geçen yıl gittim. İlk günlerin aldanışı uzun sürmüyor. Müzeler, resimler, yeni yerler falan... Sonra insan sıkıntıdan patlıyor. Ne yapsam turist olmaktan kurtulamıyorum. Anlıyorsun ya, turist! Bir yakışmama, iğretilik duygusu..."

Çoğu günler işleri olduğu için, mühendisle müdür öğle yemeklerinde bulunmazlardı. Bu ince sesli, yapmacıklı dişiler topluluğunun tek erkeği olmak bile canını sıkamıyordu. Yemeğini rahatça çiğniyordu. Değişmiş miydi? Sanmıyordu. Değişiklik yanında "o" nun oturmasıydı. Bir de...

— Ayşeciğim, şu tuzluğu uzatır mısın?

Mühendisin tombul karısına tuzlukla birlik uzanan elin güzelliği, masanın altında onunkine değen bacak, ona baktıkça gözlerinde gördüğü sevinç ışıması, sevilenin yanında duyulan iç rahatlığından bir saat bile ayrılmama isteği de onu günde iki kere bu masanın önünde tutmaya yeterdi ama, bir de burada yediği yemeklerin kokusu vardı. Bu koku, bu tat onu Alemdar'daki eski evde Zehra teyzesiyle yalnız kaldıkları zaman yediği yemeklere götürüyordu. Bu sofraya ilk katıldığı akşam bir çeşit domatesli etten sonra, aşçı kadının tabağına koyduğu zeytinyağlı patlıcan dolmasını yerken durmuş, Ayşe'nin elini tutup, çocukların bile sustuğu, konuşmaların, ağız şapırtılarının, çatal tıkırtılarının kesildiği bir sessizlikte uzun uzun onun gözlerindeki süssüz sevgiye bakmış, herkesin ondan bambaşka şeyler beklediği bir an o salt, "— İyi" deyip tuttuğu eli bırakmış, sanki ötekiler yokmuş gibi yeniden yemeğine başlamıştı.

Aşçı kadın patlıcanlı pilavı dağıtırken mühendisin karısı,

— Ah, Hayri bayılır buna! Biraz akşama da ayrılsaydı, dedi.

— Ayrıldı, Semihacım!

Naciye ablanın sesinde, "Üç yıldır tanımıyor muyum sizi? Bunu hatırlatmak gerekir miydi?" diye düşündüğünü belli eden bir kırıklık vardı. Bu ince, kıpırdak, yaşlı kadını ilk gördüğünde nasıl şaşırmıştı! Bayan Naciye adına eklediği o sarkık yanaklı, alınmış kaşlı, hantal kadın nerdeydi? İnsan önyargılarında çoğu yanılıyordu. Ya Ayşe'yle birlik odasına girerken duyacağını sandığı kekremsi koku? Bakışları duvarlarda gezinirken Bayan Naciye, "— Fotoğrafları sevmem," demişti. "İnsanın hayalini sınırlarlar; hep kendilerini düşünmeye zorlarlar bizi." Kadının sınırlamak istemediği hayallerini merak etmişti. Belki de insanlar kendi kendilerini düşünmek, hayaller kurmak için yeteri kadar yalnız kalamadıklarından anlayışsız oluyorlardı. Birden kadını sevmişti; ama kadın onu daha sonra sevdi. Onunla, yemeklerini pansiyonda yemesi için anlaşmaya gelmişlerdi. Ayşe'yi yeniden bulduğunun üçüncü günüydü. Bir gün önce yemek vakitleri, Ayşe ondan ayrıldıkça içini bir sıkıntı sarıyor, nasıl arada insan kafasında kulakların çirkinliğini, gereksizliğini düşünürse, gene öyle, insanların yemek yiyerek yaşamak zorunluluğunda olmalarına kızıyordu. Ertesi gün öğle üstü onu lokantaya götürdü. Onun iştahsızlığını gördükçe sanki kendi iştahı da kaçıyordu. Çıkarlarken Ayşe, "— Hep burada mı yiyorsun?" diye sormuştu, "— Ya burada, ya da buna benzer başka bir yerde." "— Burada yemek yenmez; ancak terlenir. Ben de yanımda istiyorum seni. Bu akşamdan tezi yok, artık pansiyonda yiyeceksin. Gel, gidip anlaşalım." "— Ötekiler kızdırırlar beni. Yapamam." "— Yanında ben olacam. Hem neden insanları bu kadar ciddiye alıyorsun? Başkalarının saçmalarına için için gülmeyi ne zaman öğreneceksin sen? Gel." Onunla gidişinde, sevilenin bir isteğini yapma ferahlığının da payı yok muydu? Bayan Naciye onların neden geldiklerini öğrenince, "— Olur," demişti. "Ayda iki yüz lira alırım." "— Pekâlâ!" "— Pazarlık etmiyor musunuz?" "— Pazarlık etmem ben. İsteneni veririm." Kadının kendinden hoşlanmaya başladığını o zaman düşünmüştü. "— Öyleyse yüz elli lira yeter. Önce sizi ev tutmaya gelen adam soyundan biri sanmıştım. Nasıl konuşuyordu bilseniz! Neyiniz oluyor o adam?" "— Avukatım." "— Zengin edecek sizi, görürsünüz." Gülmüş, "— Beni kimse zengin edemez," demişti.

Bardağını eline aldı. Pilav yerken sık sık su içerdi. Sağında oturan Semra, mühendisin on altı yaşlarındaki büyük kızı, ondan önce sürahiye uzanıp elindeki bardağı doldururdu. Her sefer böyle olurdu. Su içmek istedikçe bardağını hep Semra doldururdu. (Onun bu olayı kabaca, erkekçe, bilgisizce bir açıklaması vardı: "Kadının erkeğe hizmetten hoşlanma içgüdüsü" diye düşünürdü. Bu masada, Semra'nın ona gösterdiği yakınlığın gerçek anlamını bilen yalnız Ayşe'ydi. Belki bir de annesi... Ayşe, Semiha'dan bu anlayışı beklemiyordu. Analar, kızlarının kadın olduklarını çok geç fark ederlerdi. Günlüğüne şunları yazmıştı: "Yemek masasında aramızda C. oturalı Semra'nın bana karşı tutumu günden güne değişiyor. 'Canım ablacım'lı sarılmalar artık yok. Yerlerini çekingen, kaçamak bakışlara bıraktılar. Onu sevdiği, hayalinden kim bilir kaç kere elimden aldığı benden utanıyor olmalı. Akşamları caddedeki bisiklet gezintilerini bıraktı. Çünkü geçen geceki 'gösteriş, yapmacık' tartışmasında C. bir ara '— Araçları, kullanılmaları gereken amaçtan sürekli olarak değişik amaçlar için kullanmak gösteriştir. Sağlam adamın elinde çevirdiği baston gibi. İnsan başını güneşten korumak için yapılan şapkanın kadın başlarında yarım limon kadar ufalması gibi. Bir yere çabuk gitmek için binilmesi gereken bisiklete, şortlu bacaklarla, caddede gezinti için binmek gibi. Züppeliktir bu, gösteriştir,' demişti. Artık, kızara kızara da olsa, anasına babasına 'sen' diyebiliyor. Çünkü gene aynı gece C., '— En yakınlarına bile siz diyenler tanırım. Üstelik onları sevdiklerini de söylerler. İnanılır mı onlara? Kibar görünme yapmacığı değil de nedir bu?' demişti. Yalnız bunlar mı? Ya daha büyüklerini yapamadığı için üzgün, ona gösterdiği küçük özenler? Önüne tuzluk koymalar! –Yemeklerini çok tuzlu yiyor; iyi değil bu.– Hep tetikte, su içmek istedikçe bardağını doldurmalar! Bütün bu hizmetlerden sağladığı kazanç hiç değişmiyor: Baştan savma bir, '— Sağol küçük!' Onu kendine döndürebildiği için memnun, 'küçük' dediği için üzgün önüne bakıyor. 'Şu erkekler gerçekten eşekmişler. Anlayışsız şeyler! Nerem küçük benim?' diye düşündüğünü sanıyorum. Arada lokmasını çiğnemeyi unutup kızarması belki de çıplak kolunun C.'nin dirseğine dokunuverdiği zamanlara rastlıyor. Yoksa kıskanıyor muyum? İşte utana utana yazıyorum: Ara sıra bacakları birbirine değiyor mu diye masanın altına kaçamak bakıyorum. Oysa onun, yanında oturan bu kızın tutkunluğunun farkında olmadığını biliyorum. Bu tutkunluğu yalnız benim fark etmem, yoksa C.'yi, onun beni sevdiğinden daha az sevmemden mi? Yoksa tam karşıtı mı? Dün ona en sevdiği yemeği sormuştu. Baktım bugün sofraya salçalı makarna geldi. Kuşkulandım. Sonra tabağına dokunmuyordu. Mühendis sordu: '— Neden yemiyorsun kızım?' '— Doydum baba.' '— Öyleyse ver de ben yiyeyim.' Duraksama... Tabağı uzatan eldeki kızgınlık! Ah, anlayışsız baba, kızın onu sevdiği adama verecekti, önündekini bitirsin diye bekliyordu. Bundan sonra seni daha az severse yakınma! Suç sende. Yemekten kalkınca aşçıya, 'Neymiş o, yaz günü salçalı makarna?' dedim. '— Semra'cık öyle yalvardı ki, dayanamadım; pişirdim!' dedi. Biliyorum bir gün bıkacak. Yanına oturan C.'den başka bir genç de olsaydı gene aynı şeyler olmayacak mıydı? On altı yaşın, yakındakiyle yetinen geçici tutkusu! Bu bana, sonraları beğenmeyip adını Veysi'ye çeviren Veysel dayımı hatırlatıyor." Ayşe'nin yazdıklarını okuyunca insanın, C.'nin saçma açıklamasına güleceği geliyor. Yok "kadının erkeğe hizmetten hoşlanma içgüdüsü"ymüş! Bir de kalkar, kadınları tanıdığından söz eder.)

— Sağol küçük, dedi.

Bardağını ağzına götürdü; yarısına dek içti içmedi, Naciye ablanın sesini duydu:

— Yeter, diyordu. Su soğuk. Mideni üşüteceksin.

Burada onun midesini üşütmesinden korkuyorlar, bardağını dolduruyorlar, önüne karpuz dilimlerinin en büyüğünü koyuyorlardı. "Saçmalıklar! Biz gene de onun öğüdüne uyup için için gülelim. Bunların, çevrelerinde sevişen iki insana gösterdikleri bu hoşgörü ne zamana dek sürecek acaba? Bu sevginin onlardaki güdük sevgi ölçüsünü aşan başkalığını, törelere uymazlığını görünce nasıl tedirgin olacaklar! Bizi aralarından atarlar. Çocuklarına kötü örnek olduğumuzu söylerler. Sanki çocuklarına kendilerinden daha kötü örnek olabilirmiş gibi. Bu çatının altında yaşayanlarda ortak ne var? Yalnız birlikte yaşama zorunluluğuna inanmaları. Kimi pilavı patlıcanlı ister, kimi patlıcansız; kimi tuzlu, kimi tuzsuz; kimi erken yatmak ister, kimi geç; biri şarkı dinlerken öteki caz müziği ister. Sabahları kalkışlar... Biri gördüğü düşü anlatır. Dinleyen, düş dinlemeyi sevmez. Karı kocalar bile böyle değil mi? Ortak neleri var? Haftanın belli günleri et ete sürtünmekten başka? Gene de dayanıyorlar. Çünkü birlikte yaşama zorunluluğuna inanmışlar. İşte benim onlardan ayrıldığım buna inanmamam. Sıkıntımın da, sevincimin de kaynağı bu. Gücün dayanmaktansa yalnızlığıma kaçarım. Bana tek insan yeter. Sevişen iki kişinin kurduğu toplum. Toplumsal yaratıklar olduğumuza göre, insan toplumlarının en iyisi bu daracık, sorunsuz, iki kişilik toplumlar değil mi?" Yemeklerde kafasından buna benzer düşünceler geçerken, içinde uyuklayan "öteki"nin uyanıp sinsi sinsi güldüğü olurdu. Aldırmıyordu; rahattı.

Karpuzu bitince geriye yaslanıp cebinden paketini çıkardı. Ayşe'yle omuz omuza içtikleri bu yemek bitimi sigaralarının başka bir tadı vardı. Yaptığının bir karşıt gösteriş olduğunu düşünmeden, her sefer önce kendi sigarasını yakar, kibriti onun az yağlı dudaklarına uzatır, duman kaçmasından korkuyormuş gibi kıstığı gözlerine bakardı. Onlarda hep o görmek istediği bakışı görürdü. Bedenine yaygın karın tokluğu uyuşukluğunda, sigarasından seyrek nefesler çeker, bakınır, yalnız o zaman karşısında, anasının yanında oturan, müdürün alnı sarı bukleli küçük kızı için "işte on yıl sonraki kancıklardan biri" diye düşünmezdi. İkisinden birinin sabırsız bir omuz kıpırtısıyla bitmeden söndürttüğü bu yemek sonu sigaralarını, belki masadan kalkacakları anı biraz geciktirip, birbirleriyle kalmanın özlenen huzurunu daha da arttırmak için içerlerdi. Kendi istekleriyle bir çeşit oyun oynuyorlardı. Çabuk kurtulma özgürlüğü elindeyken kişinin dayanamayacağı kötü durum yoktu. Omzundaki kıpırtıyı az daha bekleyebilirdi. Ayşe'yi sigaraya başlamış görmekten nasıl sevinmişti! "— Atölyede, senin gelmeni beklediğim günler boyuna içerdim." Sağanak gecesi, kumlarda yan yana yatarlarken, "— Sigaran var mı?" demişti. Vardı ama o gece içememişlerdi. Islak kibritler yanmıyordu. Omzunu onunkine bastırdı. Sigaralarını karpuz kabuğunda söndürüp kalktılar. (Semra'nın başını kaldırdığını gören Ayşe, bir şey söyleyeceğini sandı. Beş altı gündür öğle yemeklerinden kalkarken Semra'nın, "— Denize gidecekseniz ben de sizinle gelebilir miyim?" diyeceğini bekliyordu. Göz göze geldiler. Kızın bakışlarındaki üzgünlüğü, kararsızlığı gördü. Semra başını eğdi; konuşmadı.)

— Hoşça kalın! deyip yürüdüler.

— Güle güle! Akşama geç kalmayın.

Dışarda güneşli, az esintili bir hava vardı. Böyle havalarda deniz kıyısına giderler, orada Ayşe resim yaparken, uzanıp onu seyrederdi. Esinti olmadı mı, birkaç saatlik öğle uykusundan sonra yüzmeye giderlerdi. İnsan, günlerin biteviye geçişinden yakınmadıkça mutlu sayılırdı. Ayşe,

— Şu kız beni düşündürüyor, dedi.

— Hangi kız?

— Semra.

— Eeee?

— Bize bir şey soracakmış gibi değil miydi?

— Ne bileyim ben. Onları oldukları yerde bıraksana! Günde bir buçuk saatimizi yanlarında harcadığımız yetmiyormuş gibi bir de kafamızda mı gezdireceğiz? Resim yapacaksın değil mi?

— Evet.

Filiz yeşiline boyalı evlerinin önünde durdular. Artık ev, "onların" eviydi. Altı gecedir Ayşe, uyku zamanı pansiyona gitmiyordu. Cebinden anahtarı çıkardı. İçerde onun bu eve ilk girdiği günü hatırladı. Fırtına gecesinin sabahıydı. Uyanınca, çoğu sabahlar gibi, gözlerini yeniden kapayıp bir zaman serçelerin cıvıltılı gürültüsünü dinlemişti. Kuşların gerçekten serçe olup olmadıklarını bilmiyor, bir şişe portakal suyu içtikten, sigarasını yakıp yatağına uzandıktan sonra artık serçeleri duymamıştı. Gözlerini perdesi inik karşı pencereye dikmiş, sanki ona buraya gelmesini söylemiş gibi bekliyordu. Gece ayrılırlarken onu kolundan tutup bu eve getirmemişti. Sonra ona, yapmak istemediği –değil, çekindiği– bir şeyi zorla yaptırdığı kuşkusundan kurtulamazdı. Ayşe'nin, elleri gözlerinin iki yanına dayalı, pencereden içeri baktığını görünce şaşırmıştı. Önce karşı perdenin açılacağını sanıyordu. "— Daha kalkmadın mı? demişti. Hadi, aç kapıyı." Odaya girer girmez onu yatağa oturtup karşı pencereyi göstermişti. "— Seninkisi o mu?" "— Hayır. Mühendisle karısının odası o. Ben aşağı katta kalıyorum. Neden sordun?" Karşılığını beklemeden kalkmış, arkası ona dönük, odanın ortasında durmuştu. Kendi yaptığı resme bakıyordu. Birden dönüp, gözleri buğulu, ona, yatağa koşmuştu. "— Canım, inatçı sevgilim benim. Seviyorum seni, seviyorum." Önünde yatan kadının ona bitmeyecekmiş gibi gelen düğmelerini çözerken söylemek isteyip de söyleyemediği sözü, ancak kulağı kaşıntısız onun bacaklarını okşarken söyleyebilmişti. Ayşe'nin yere atılmış giysisinin üstünde dans eden bol etekli zenci kızlarını görüyordu.

İşte bugün de sırtında aynı giysi vardı. Yaman şeylerdi bu zenci kızları. Küçük, tahta çantaya boyaları yerleştiren Ayşe'ye yaklaştı. Yanında durup yüzünü kendine çevirdi. Belinden tuttu. Ayşe, elleri onun omuzlarında, güldü.

— Bu gidişle resim kim bilir ne zaman bitecek, dedi.

— Canım, pis kadınım ben!

— Yağlı mı dudaklarım?

— Yağlı.

— Dur, yıkayayım. Belki öpmek istemezsin...

Öptü. Eller ensesinde gezindiler. Neden o da ötekiler gibi gözlerini kısıyordu? Elleri belinden aşağılara inerken Ayşe başını çekti.

— Ah, unuttuk, dedi. Resim yapmaya gidecektik.

Ayrıldılar. Masanın üstünde duran birörnek hasır şapkalarını giydiler. Ayşe'ye bakmıyordu. Onun etini böyle sık sık istediği için kendinden utandığı oluyordu. Gitti sehpayı aldı; kolunun altına kıstırıp yürüdü. Ayşe, elinde tahta çantasıyla çıkınca, kapıyı çekti. Sokakta onun çıplak kolunu tuttu.

— Senin bir yerine sürtünmeden duramamam canını sıkmıyor mu? diye sordu.

— Hayır, hoşuma gidiyor. Kendimi... Neydi şu "öyle güzeldi ki" dediğin kızın adı?

— Güler.

— Tamam. Kendimi Güler'den daha güzel, daha çekici sanıyorum. Böbürleniyorum. Onu da beni öptüğün gibi mi öperdin?

— Yoo, onu ısırırdım. (Güldüler. Başıyla karşıdan gelen bir

yaşlı kadını gösterdi.) Şu kadının dokuz çocuk doğurduğuna, dördünün erkek beşinin kız olduğuna, erkeklerden ikisinin öğretmen, ikisinin mühendis olduğuna bahse girer misin?

— Neyine?

— Sokak ortasında bir öpücüğüne. Bildiysem ben seni öperim; bilemediysem sen beni.

— Olmaz. (Yaşlı kadın yanlarından geçti.) Giremem.

— Neden?

— Döverler bizi.

— Doğru. Evlerinden fırlarlar, üstümüze çullanırlar, döverler bizi. Ne yapsak onlardan korkacağız. Korkmadık mı kötü! Ama seninle olmamız öyle iyi ki, öyle!..

Avcundaki kolu sıktı. Deniz kıyısına varıncaya değin konuşmadılar. İki yanı adam boyu, kuru-yeşil yosunlu kayalarla çevrili bu dar, kuytu kumsalda Ayşe "Kıyısında İki İnsanın Seviştiği Deniz" resmine çalışırdı. Burayı, o gece birlikte devrildikleri kumsal sanıyorlardı. Koltuğundaki sehpayı indirip her zamanki yerine kurdu. Cebinden iki sigara çıkarıp ikisini birden yaktı. Birini, boyaları tahta kutunun gölgesine dizen Ayşe'nin dudaklarına kıstırdı. Gitti kayaların dibine uzandı. Öğleyin kayaların gölgesi olmazdı. Artık yanında kitap getirmiyordu. İlk günler Ayşe resim yaparken o da okumayı denemişti. Olmuyordu. Bol ışıktan gözleri sulanıyor, sayfaları acayip renkler kaplıyordu. Hasır şapkayı düzeltip yüzünü gölgeye aldı. Böyle yatarken kafasından başıboş düşünceler geçerdi. Geçen gün uyumuştu bile. Şaşılacak şeydi, o burada uyusun! Ayşe, onu uyandırınca nasıl gülmüştü! Bu gülüşe o da katılmıştı ya, içinde kıskanmaya benzer bir duygu vardı. Belki onu uğraşacağı bir şeyi olduğu, resim yaptığı için kıskanıyordu. Gene de rahattı.

Gözlerini kapayıp, ıslık sesini bekledi. Ayşe'nin çalışmaya başladığını bu ıslık sesinden anlardı. "Arada. Kesik kesik. Bu da onun tiki. Karşılaştığı güçlükleri onunla hafifletiyor. Bütün insanların bir tiki var. Güler'in yoktu. Yok muydu? Saçlarını geriye silkişi? Tamam. İki haftadır kulağım kaşınmıyor. Yoksa farkında olmadan mı kaşıyorum? Sık sık bacaklarını okşayıp öpmem korkmadığıma kendimi inandırmak için mi? Korkmuyorum." Gözlerini açtı. Ayşe, arkası ona dönük, denize bakıyordu. Denizin üstü kırış kırıştı.

Esen yel eteklerini sallıyordu. Gidip dizden aşağısı görünen bu bacakları öpebilirdi. Korkmuyordu. "Şimdi ben ona yokum. Olsun. Uykudaki yokluk gibi bu, geçici. Uyanınca ona daha çok varım. Bugün kimse gelmese. Ressamlara açık havayı öğütleyen ben, geçen gün o iki çocuğu kovdum. Yaptığına değil, ona bakıyorlardı. Neden başlamıyor? Öyle rahatım ki, demişti, bu resmi bitiremeyeceğim. Bitirmesin, daha iyi. Bir sanatçının en güzel eseri hiç bitmeyecek olanı değil mi? Bütün bakanların 'işte kıyısında iki insanın seviştiği bir deniz' diyebileceği resim hiç yapılabilir mi? İçlerinden en anlayışlıları bile, 'Bu deniz,' derler, 'yeşilimsi maviyle açık mavi boz renkle iyi uyuşmuş. Kumlara bir coşkunluk duygusu katılmak istenmiş.' O kadar. Resim biterse onu ancak ikimiz anlayacağız. Parlayıp sönen şimşek ışığındaki kıyının resmini yapmasını isteyeceğim ondan. Burda olmaz. İlerde, kışın atölyede. Ezgiler dinleyeceğiz. Sonra yaz gelecek, sonra kış. Hep ikimiz. Şimdi ben ona yokum. Fırçayı atıp gelse! Beni öp dese. Eteğinde oynaşan zenci kızlarıyla birlikte çağırıyorum seni. Hadi gel, hadi!" Sigarasından uzun bir nefes çekip attı. Küçücük dalgaların kumlardaki şıpırtısını duyuyordu. Ayşe gelmedi. "Sevişen iki insanda bile bir anda aynı duygular olmuyor. Önemli bu, unutmamalı. İki kişilik toplumlarda önemli sorunlar! Bir deneme başlığı olabilir. Biri çıkıp yazsa... Ben? Yapamam; yaşamak varken. Ben ya ararım ya da yaşarım. Aynı anda ortak duygular ancak iki etin birbirine dokunmasıyla başlıyor. Gidip bacaklarını okşasaydım onu kendi duyarlığıma katabilirdim. Acaba? Güler'i öperken düşündüklerim neydi? Gene de ortak bir yanımız vardı. Özet: Duyarlık akımı ancak insan etinin değinmesiyle olabilir. Hava tanımlamasında başka bir değişiklik: Hava iletken değildir. Tam anlaşma mı istiyorsunuz? Öyleyse, haydi bakalım insanlar, aranızda hava boşluğu bırakmayın! Ya gözler, bakışlar? Eluard, 'Gözler konuşmaya başladığı zaman her şey susar,' demiyor mu? Öff! Sıkıntılı konular! Bırak düşünmeyi, bu sıcak kumların tadını kaçırma."

Elleriyle kumları eşti. Sıcaktı. Sıcaktı. Ayakkaplarını çıkardı. Tırnakları gene uzamıştı. Ellerine baktı. Düşünmeye alışık beynine söz geçiremiyordu. Sağ eldeki tırnakların uzamasıyla insan yalnızlığının münasebetine dair uzun bir düşünceye daldı. Çok sonra, Ayşe,

— Olmuyor, olmuyor! diye bağırınca sıçrayıp kalktı.

Neydi olmayan? "Ha, resim." Yaklaştı. Tuvalde basbayağı bir deniz vardı.

— Olmuyor. Yapamıyorum!

— Zorlama kendini, dedi. Ne zaman olursa olsun. Biliyorsun, acelemiz yok bizim.

— Yapamıyacam. Hiç yapamıyacam onu!

Elini tutup okşadı. "Yüzündeki bu umutsuzluğu görmek istemiyorum. Elini sıkalım. Duygu devresini tamamlayalım."

— Unutma, acelemiz yok bizim, dedi. Hele o geceyi bir özle; görürsün bak, nasıl olacak. (Elini bıraktı.) Ne de acı acı bağırdın ya! Ödüm koptu. Tam içim geçiyordu. (Güldüler.) Gidelim mi?

Ayakkaplarını, şapkasını giydi. Ayşe, eğildiği yerden doğrulup elindeki tahta çantayı salladı.

— Bunları denize atabilirim, dedi.

Birden içinde büyük bir sevinç duydu. Onun bu sözü yarın da söyleyip söylemeyeceğinden bile kuşkulanmıyordu.

O gece, karanlık odada yan yana uzanırlarken Ayşe,

— Bu akşam yemekte onlarla tartışmadın, dedi. Oysa şu hoşgörü lafı sürüp giderken senin de karışacağını sanmıştım.

— Değmez. İkisi de kof adamlar. Görmüyor musun, gösteriş tartışmasından beri ben bir şey söyledim mi susuyorlar. Çekiniyorlar benden. Senin öğüdüne uyup içimden gülüyorum. Bu iki adam dünyada hoşgörü diye bir şey olmadığını bilmiyorlar. İnsan kendininkine uygun olmayanı bağışlamaz. Biz, hoşgörüsü olmadığını bile bile, başkalarında kendinininkinden ayrıyı bağışlamaya çalışana hoşgörülü diyoruz.

— Bize karşı iyiler ya!

— Bilmiyorlar da ondan. Ölçülerine uyacağımızı sanıyorlar. Bilseler kovarlar bizi. (Saçlarını okşadı.) Uykun gelmedi mi?

Ayşe doğruldu.

— Geldi, dedi.

Kalktılar. Aynı odada uyumuyorlardı. İki kişilik toplumda sevgiyi dipdiri tutacak çareyi bulduklarını sanıyordu. Evlenen iki kişinin gitgide sevgilerini yitirmelerinin baş sebebini aynı yatakta uyumalarında görürdü. Uykuda başına buyruk yaşayan insan bedeninin kendini koyvermişliği; horlaması, yellenmesi, hepsinden çok o biteviye uyku soluması, kişinin bu bedende aramaktan hoşlanacağı gizlerin değerini düşürürdü. Gerçek sebep bu muydu acaba? Yoksa içinde gizli bir ikiyüzlülükle, kim olursa olsun, bir başkasının kendini uyurken seyretmesini mi istemiyordu? Yaşadığınca hiç kimseyle bir yatakta uyumamıştı.

Ayşe'nin odasına birlikte girdiler. Işığı yakıp onu yatağına yatıncaya dek bekledi. Yatınca,

— Şimdi kış olsun istiyorum, dedi.

— Neden?

— Soğuk olsaydı seni örtüp bastırmak bahanesiyle yanına gelir, bir daha öperdim.

— Gel!

Uzun uzun öpüştüler. Sonra, onu omuzlarından itti.

— Hadi, git artık, dedi. Kış da olacak değil mi?

— Elbet olacak. İyi geceler.

— Sana da.

Işığı söndürüp çıktı. Önce bir sigara yaktı; yatağına uzandı. Artık yanında o vazo yoktu. Onun yerinde, alçacık bir sehpa üstünde, kalaysız bakırdan bir küllük duruyordu. Mutfakta buzdolapları bile vardı. Sigarasından düşen sıcak külün yanağında yaktığı yeri oğuşturdu. "Bütün sıkıntım tez geçen bu sıcak kül yanığı, diye düşündü. Bu kadar rahatlık beni korkutuyor. Hiç olmazsa birkaç gün sürecek bir hastalığa tutulsam!"

4

"Ağustos. 7

Pansiyonun bütün işi üç kuru kadının elinden çıkıyor. Bizlerden çok yedikleri halde böyle zayıf oluşlarına şaşıyorum. Üşütücü nükteler yapma hastalığına tutkun lise müdürü, ikide bir '— Taşlarına dökülen buğdayı gene buğday olarak çıkaran üç yel değirmeni' der. Gülerler. Bir keresinde mühendis, '— Neden su değirmeni değil de yel değirmeni?' diye sordu. Öteki, çevresine bakınıp, yavaş sesle, '— Efendim, su kıyısında bu kadar kuru fidan bulunur mu?' dedi. İşte göklere çıkarılan er-

kek zekâsının ürünlerinden biri! Geçelim. Bu üç kadının –Naciye abla, aşçı, hizmetçi– arasında bütün ayrıntılarına dek düzenli, bozulmaz bir işbölümü var. Sabahları çarşıdan alışverişi Naciye abla ile aşçı yapıyorlar. Ortalık temizliği, makina ile çamaşır yıkamak hizmetçinin işi; ütü Naciye ablanın. Yemekleri aşçı dağıtıyor. Gözleri yaşarmadığından soğan doğramak hizmetçide. Buna karşılık mutfak temizliğini aşçı yapıyor. Bulaşığı ikisi ortaklaşa yıkıyorlar. İşbölümünün aksayan yanı bu. Ara sıra mutfakta ağız dalaşları oluyor. İnsanlardaki birlikte iş yapmak güçlüğünü düşünüyorum. Bu üç kadının hayatlarını merak ediyorum. Dört aylık misafirleri gittikten sonra ne yaparlar? Yılın geriye kalan sekiz ayını bu ıssız evde nasıl geçirirler? Neler konuşurlar? Anılarını yalanlarla süslerler mi? Naciye abla ile aşçı kocalarından bahsederken hiç evlenmemiş hizmetçi onları nasıl dinler; neler sorar acaba?"

....

"Ağustos. 8

Bu gece ışığı yakıp bacaklarıma baktım. Pek mi güzeldiler? Ne var onlarda? Bunu bana ondan başka kim açıklayabilir? Neden soramıyorum? Öperken gözlerini görebilsem! Yalnız saçlarını görüyorum."

....

"Ağustos. 10

Akşam yemeğine yalnız gittim. O gelmedi. Karnı ağrıyormuş. Naciye abla sordu. Anlattım. Soğan suyu ile karabiberli bir ilâç salık verdi. Yemekte Semra ile aramız boştu. İsteksiz yiyordu. Tam bana bir şey söyleyeceğini düşünürken müdürün sesini duydum.

— Ayşe hanım, diyordu, sizin şu mirasyedinin yaman fikirleri var doğrusu.

Öfkeden gözlerimde bir yangın başladı.

— Siz sandığımdan da kurnazmışsınız, dedim.

— Efendim?

— Kurnazmışsınız diyorum. Üstelik anlayışlı! Mirasyedi deyimini onun yüzüne karşı değil, arkasından söyleyecek kadar anlayışlı.

— Yüzüne söyleyemeyeceğimi mi sanıyorsunuz?

— Sanmıyorum; biliyorum. Sonra bu güzel yemekleri eksik dişlerle çiğnemek zorunda kalacağınızı siz de bilirsiniz, dedim.

Masayı saran sessizlikte küçük kızlardan biri, '— Anne su içicem,' diyince çatal bıçak tıkırtıları, konuşmalar yeniden başladı. Mühendis kaytarmayı huy edinmiş bir işçiyi bugün işten nasıl kovduğunu uzun

uzun anlattı. Tabağıma bakıyordum. Sinirlendim diye kendime kızıyordum. Değer miydi? Bir de ona içinden gülmeyi ben öğütlemiştim. Yemek bitince, '— İyi geceler' deyip çıktım. Bahçede arkamdan mühendis bağırdı.

— Ayşe, dur biraz!

Durdum.

— Bunun sonu ne olacak? dedi.

— Neyin sonu?

— Sizin birlikte yaşamanızın.

— Sonu yok, dedim, sürüp gidecek.

— Çocuğun olabilir, dedi. Seninle evlenmez o; kimseyle evlenmez. Normal bir insan değil. Korkmuyor musun ondan?

— Hayır, seviyorum. Normal insanlardan korkarım ben.

— Ya! Durumu babana yazmak zorundayım.

Bunu sıkıla sıkıla söyledi.

— Boşuna zahmet. Ben yazdım bile, dedim.

Onlara bir kötülük mü ettik? Neden istediğimiz gibi yaşamamıza karışıyorlar? Babama kim bilir neler yazacak! Çocuğun olabilir, dedi. Bu ay üç gün gecikti. Gebelik tedirginliklerin öncüsü olabilir. Evlenmek! Can sıkıcı dairelerden birinde, tanımadığımız bir adamın bizi birleştirmek görevine boyun eğmek. Bu onun sözü. Yemekte olanları ona anlatmadım."

....

"Ağustos. 11

Karısının bakışlarından anladığıma göre müdür gece ondan papara yemiş olacak. Babayiğitliğini göstermesine terbiyesi engel oluyormuş gibi, iki yemekte de yalancı kahraman tavırları takındı. Sofrada gergin bir hava vardı. Naciye abla iğne üstünde oturuyor gibiydi. Müdürdeki gizli korkuyu göremiyor. Açık korku kişiye adam öldürtür, gizlisi uslu uslu oturtur. Büyükler pek konuşmuyorlardı. Çocukların sesini dinledik durduk. Çevresindeki gerginlikten C.'nin haberi bile yoktu. Belki vardı. Sormam için anlatmam gerek."

....

"Ağustos. 13

Gebe değilim. İçimdeki bu delice sevinçten utanıyorum."

....

"Ağustos. 14

Sonunda pansiyondaki sofradan kovulduk. Bu sabah çalınan kapıyı açmaya odalarımızdan ikimiz de pijamayla çıktık. Naciye abla, sapsarı, kendini salondaki koltuklardan birine attı; su istedi. Koşup getirdim. Eli titriyordu. Kesik kesik anlattı. Yemeklerini bizimle birlikte yemek istemiyorlarmış. Biz olduk mu rahatları kaçıyormuş. Hem onların çocukları varmış.

— Nasıl üzüldüm bilseniz, dedi. Çok savundum sizi. İki insan, dedim, olur mu? 'Neden olmasın, dediler, kendi evlerinde yesinler.' Sizi anlamıyorlar; çekemiyorlar! Sonunda 'Ya onlar, ya biz' dediler.

— Öyleyse biz, dedi C... Bırak gitsinler. Sana onların verdiği kirayı veririm. Daha çoğunu bile! Orada seninle birlikte yeriz.

Naciye ablanın gözleri dolu doluydu.

— Yapamam, dedi. İkiniz birbirinize yetiyorsunuz. Yemeklerden sonra gideceksiniz. Üç yıldır alıştım onlara. Yaz gelsin diye beklerim. Çocuklar var, seviyorum. Gürültüleri kesildi mi üzülürüm. Yapamam. Her gün yemeklerinizi buraya gönderecem.

Kadın gidince C. gelip bana sarıldı. Gözlerindeki sevinç beni şaşırtıyordu.

— Kabul et, dedi.

— Neyi?

— Onların bizden akıllı olduğunu.

— Neden?

— Kaç gündür yemeği buraya getirtmeyi biz düşünememiştik. Kurtulduk onlardan artık.

Başkalarından ayrıldı mı neden böyle seviniyor?

Plajı kalabalık görünce, '— Pazarcılar,' dedi. Bir sandal tuttu. Açıklarda yüzdük. Sandalda kurulanırken bacaklarıma eğildi. Saçları yaşlı. Ona 'Yasaklı' olduğumu hatırlattım."

5

Fon müziği başlayınca, ışıklar yanıncaya dek açmamak kararıyla gözlerini kapadı. Son gördüğü, sarhoş babasından dayak yiyen çocuğun perdeyi kaplayan, gözyaşlarıyla ıslak yüzüydü. Kimden olduğunu bilemediği müzik belki de salt bu kötü film için bestelenmiş bir parçaydı. Omzu koluna dayalı yanında oturan

Ayşe'ye, bu gece bir yazlık sinemaya gitmelerini istediği, onu oynadıkça gıcırdayan bu kambur iskemlede, sinir bozucu bir film seyretmek zorunda bıraktığı için kızıyordu. İçindeki sıkıntı daha bu arsa bozuntusu yere girer girmez, iskemlelerin arasındaki geçitte duran çocuk arabalarını görünce başlamıştı. Adama, iki kişilik toplumda başlıca amacın bunu üç kişilik yapmak çabası olduğunu düşündürüyorlardı. Arabaları arkalarında bırakıp, boş sıralardan birindeki bu iki iskemleye oturmuşlar, şişeleri tıkırdatarak yanlarından geçen çocuktan iki gazoz alıp içmişlerdi. Geğirince portakal kokusuyla karışık yeşil biber kokusu duymuştu. Ayşe, "— Neden soğutmazlar bunları!" diyordu.

Patlayan bir tabanca sesiyle birlik fon müziği durdu. Perdeyi saran sessizlikte nerdeyse gözlerini açacaktı. Yönetmenin gene ne haltlar karıştırdığını merak ediyordu. Açmadı. Işıklar yanıncaya dek, demişti. Bu kararı ancak Ayşe'nin omzunda bir kıpırtıyla ona söyleyeceği bir söz bozabilirdi. Gözlerini açmanın dayanılmaz isteğiyle bu sözü bekledi. Ona değen kendi kolunda en ufak bir yer değişikliğinin bile olmamasına çalışıyordu. Önemli olan bunun öteden gelmesiydi. Kolunu oynatsa ona beklediği sözü söyletebilirdi. "Omuzlarımız eski büyülerini mi yitirdiler? Yoksa bu filmi mi seyrediyor? Yüzünü bir görsem!" Perdede bir kadın bağırdı: 'Ne yaptın oğlum? Babanı öldürdün!' Kollarındaki kaslar korkunç bir gerilmeyle şiştiler. Birden Ayşe ona sokuldu.

— Üşüdüm, dedi.

— Ben de.

Gözlerini açtı. Üşüdüğünü ancak o zaman duydu. Kollarının şişkinliği inerken yakınındaki kadının bildik yüzüne bakıyordu. Bu onun kadınıydı.

— Gidelim istersen. Sıkıcı bir film bu.

Sokakta el ele yürüyorlardı. Onun elini avcunda götürmenin eski yürek çarpıntısı nerdeydi? Deminki sinemanın perdesi ardındaki evlerde yaşayanların sinema gürültüsüne, Naciye ablanın çocuk şamatasına alıştıkları gibi yoksa iki insan da birbirlerine alışıyor muydu? Gitgide, yakınlıkları yalnız kol kola yürümelerinde, aynı yatakta yatmalarında kalmış karı-kocalara mı benzeyeceklerdi? Dayanamazdı buna. Bir kurtuluş yolu olmalıydı. Avcundaki eli sıktı. Ayşe,

— Söyle, dedi.

— Seni seviyorum.

Bu sözü ilk söylediği kadın oydu.

Odasına girdikleri zaman her seferki gibi ışığı yakmadılar. Onun düğmelerini çözen parmaklarında ilk günün o telaşlı acemiliği yoktu. İşlerine alışmıştılar. Çıplak kollarından sıyırdığı giysiyi iskemlenin üstüne koydu. Açık pencereden gelen ay ışığının loşluğunda, yatakta yatan kadına baktı. Gitti yanına uzandı. Yüzünü saçlarına dayadı. Bu koku hoşuna gidiyordu. Elini onun dizlerinden bükük bacaklarının ılık, gergin derisinde gezdirdi. "Bu koku şeye benziyor; bir..." Arkasını getiremedi. Başını kaldırdı. Dudaklarını onun yarı açık ağzına yaklaştırırken Ayşe doğruldu. Yataktan inmek istiyordu. Bırakmadı.

— Ne var, nereye?

— Perdeyi kapayacaktım.

Güler'i hatırladı. "— Pencere," demişti. "Açık!" Kafasındaki uğultu dağıldı.

— Neden? Perde her zaman açık değil miydi? diye sordu.

— Pencerede Semra'nın yüzünü görür gibi oldum. Sanki bizi seyrediyordu.

— Kimse yok orda; görüyorsun.

— Evet, ama kafama takıldı bir kere; bırakamıyorum kendimi. Dur, kapayıp geleyim.

— Gereksiz. Baksa bile bir şey göremeyecek.

İçinde kızgınlığa benzer bir duygu vardı. Önemli olan pencereden bakıp bakmadıkları değil, onun dudaklarına yaklaştığı zaman bunu düşünebilmesiydi. Yoksa kişi, dışardakilerden hiç mi kurtulamayacaktı? Elinin hâlâ onun bacağında durduğunu fark etti. Tam sırasıydı. Yüreği hızla çarparken kulağındaki eski kaşıntıyı bekledi. Gelmiyordu. Hizmetçinin eteklerini sıyırıp kalın, beyaz bacaklarını gösterirken, "— Korkma gel! Yemezler seni," deyişini düşündü. Çekine çekine elinin altındaki ılık bacağı aşağı yukarı okşadı. Kaşınmıyordu işte! Birden, Ayşe'yi titreten bir telaşla ona sarılıp öptü.

— Ötekiler yok! dedi. Unut hepsini. İkimiziz. Biz varız.

— Evet, evet!

İstediği bu titrek sesle söylenen, "— Evet, evet!" değildi. O gece, "— Ezgiyi duyuyor musun?" diye sorduğu zaman söylediği o rahat, inandırıcı "evet"ti. Başını onun kucağına koyup uzandı.

— Atölyeni özledim, dedi. Bir gün oraya gidelim.

— Gidelim.

Saçlarında gezinen el artık sakindi.

— Eskiden orada gene böyle kucağında yatardım.

— Ben... (Öksürdü.) Sana bir şey sormak istiyorum.

— Sor.

— Neden hep bacaklarımı öpüp okşuyorsun?

Babasının yüzünü görür gibi oldu. "— Zehra, şu bacakların yok mu?" Bıyıklarını buruyordu. Filmdeki kadının o korkunç sesi kulaklarında yeniden çınladı: "Babanı öldürdün." Doğruldu.

— Çünkü senin bacaklarından korkmuyorum, dedi.

— Anlamadım.

Onları ilk günlerin rahat havasına belki de her şeyi anlatmak götürecekti. Ayşe elini omzuna dayadı.

— Neden susuyorsun? diye sordu. Benim her şeyimi biliyorsun. Ya ben senin? Hiç! Öğrenmek istiyorum. Seni nasıl sevdiğimi görmüyor musun?

İçinde başlayan gevşemeyle birlik çocukluk, ilk gençlik anılarının karmakarışık saldırışına uğradı. Hangisinden başlayacağını bilemiyordu. "Babamdan?"

— Önce babamı anlatmam gerek, dedi. Kadın bacaklarının bende uyandırdığı korkuyu ancak o zaman anlarsın. Bende gördüğün her şey babamla başlar. Pek küçükken yanaklarımı öpmeye yaklaşan adamın kara bıyıklarından gene o korkuyla karışık iğrenmeyi duyar mıydım, yoksa bunu sonradan mı düşündüm, bilmiyorum. Bu seyrek yaklaşmaları "içilmiş şarap kokulu öpüşler" olarak hatırladığıma göre, onlara bende yarattıklarını sandığım duyguyu ilerde eklemiş olacağım. O yaşta, içilmiş şarap kokusunu elbette bilemezdim. Ben onu daha çok, "çocuğu yatır" sözüyle hatırlıyorum. Gündüzleri evde olmazdı. Komisyonculuk yaptığını söylerlerdi. Yemeği evde yediği akşamlar sofradaki o sıkıcı sessizlik! Yasağı unutup konuşmağa başladığım zamanlar, kaşları inik, bana bakardı. Büzülürdüm. Akşamları yemeğe gelip gelmeyeceği belli olmazdı. Saat yediye dek beklerdik. Vakit yaklaştı mı yüreğimde bir çarpıntı başlardı. Tam gelmeyeceğini düşündüğüm sıra kapıdan girişleri! Nasıl kararırdı içim! Kimi nerdeyse geleceğini umarken Zehra Teyzenin, "— Saat on biri geçmiş. Kim bilir nerelerde sürtüyor!" dediği geceler pek seyrekti. Beni yatırır, öperdi. Hemen her gece babam eve girer girmez beni, teyzemle oynadığınız oyunlardan, masalların mutluluğundan ayırırdı. "— Çocuğu yatır!" derdi. Büyük sevinçlerden büyük kederlere birden geçişi öğreniyordum. Çünkü onun kucağındayken babamın varlığını unutmuş olurdum. Yatakta, beni ondan ayırmasındaki haksızlığı düşünürdüm.

— Kim bu kadın?

— Teyzem. Annemin kardeşi. Annemi bilmiyorum. Ben bir yaşındayken ölmüş. Belki de teyzem, onun güzel, mavi gözlerinden bahsettiği için, bu gözleri gördüğümü sanıyorum. Mavi gözlerden hep hoşlandım. Belki sana anlattığım o kıza üç ay dayanabilmem mavi gözlü oluşundandı. Bilmiyorum. Beni Zehra teyzem büyüttü. Onu kıskanç, bencil bir sevgiyle severdim. Olaylar onunla yalnızlığımızı bozup bozmadıklarına göre ya iyi ya da kötüydüler. Eve gelen komşu kadınlara kızardım. Oysa onlarla konuşurken çoğu beni dizine yatırırdı. Babamın gündüzleri evde kaldığı pazarların, bayram günlerinin azabı! Okula başladığım yıla değin, sokağa pek seyrek çıkardım. Çocukluğumun içinde geçtiği Alemdar'daki bu ev iki katlıydı. Tahtadandı. Babam ölünce sattım. Okulda bize öğrettiklerinden başka şeyler de öğreniyordum. Bilgiç, küçük erkekler vardı. Artık evde neden sık sık hizmetçi değiştiğini anlıyordum. Ah, bu kadınlardaki sıvışkan, arka sallayışlı dişilik! Babamın bıyık buruşları! Kaçamak çimdikler; mutfakta, sırtları kambur sarılmalar? Babamda korkunç bir kadın düşkünlüğü vardı. Onun gibi olmama kararını, bu iğrençlikleri gördükçe vermiş olacağım. Salt onun rahatını kaçırmak için üstlerine giderdim. Tokatlardı beni. Nasıl istiyordum bu dayakları bilsen! Onlar beni "babayı sevmeme" azabından kurtarıyordu. Onun hizmetçilerle düşüp kalktığını teyzem de bilirdi. Yakınmazdı. Sonraları onun bu eve nasıl dayandığına şaşmışımdır. Benim yüzümden mi, yoksa her gece babamın erkekliğinden payını aldığı için mi? Okuldan suratımda çürükler, tırnak yaralarıyla döndüğüm günler babam, "— Görürsünüz, adam olmayacak bu çocuk," derdi. Konuşmazdım. Sevinirdim. Babam adamsa ben olmayacaktım. "Büyüyünce bıyık bırakmayacam" derdim kendi kendime. Ertesi gün daha çok dövüşürdüm. Ötekiler benden yıldılar. Öğretmenler babama yazarlardı. İyi ki okumamı istemiyordu. Yoksa ona inat okumazdım. "— Okuyup da ne olacak? İşadamı olmalı," derdi. Teyzem ona çıkışırken, ben işadamı olmamaya karar verirdim. Bazı kere teyzem bana büyüyünce ne olacağımı sorardı. "—Bilmiyorum," derdim. "Komisyoncu olmayacam ben." Gülerdi. Başını sallar, "— Sen," derdi, "bu kötü adamın yüzünden azap çekeceksin." O zamanlar onun, kötü dediği bu adamın metresi olduğunu bilmezdim. Sevilende bizimle ortak duygular vardır sanırız. Onun da babamdan iğrendiği kanısındaydım. Durumu benden iyi gizlemişlerdi doğrusu. Çok geç farkına vardım. İlkokulu bitirdiğim yaz, bir gün odada dergi okurken kapı çalındı. Açılıp kapanınca babamın sesini duydum. "— Hizmetçi nerde?" Teyzem, "— Dışarı çıktı," dedi. "— Ya çocuk?" "— Ortalıkta yok. O da çıkmış olacak." Sonra bir sessizlik... Eğilip aralık kapıdan baktım. Babam bir koluyla teyzemin etekliğini kaldırıp sarmış, öteki eliyle çıplak bacaklarını okşuyordu. "— Zehra, şu bacakların yok mu?" dedi. Çevrem kararır gibi oldu. Fırladım. Üstlerine atıldığımda bacaklar hâlâ çıplaktılar. "— Bırak onu, bırak!' diye bağırdım... Elini ısırdım. "Uyy anam!" dedi. Dişlerim acıdı. Birden sol kulağıma yapıştı. Pis, yakıcı bir acı duydum. Teyzem, "Ah, ne yaptın?" diyordu. "Kulağı yırtıldı! Alçak, kulağını yırttın onun! Kulağı yırtıldı." Ağlıyordu. Sonra düştüm. Kafamdaki ses durmadan, "Kulağı yırtıldı," diyordu. Kulağı yırtıldı, kulağı yırtıldı, kulağı yırtıldı...

— Yeter! dedi Ayşe. (Yarı karanlıkta, C'nin taştanmış gibi duran yüzüne bakıyordu. İçini bir korku kapladı.) Anlatma istersen.

— On gün sonra başımdan sargıyı çıkardılar. Yara yeri günlerce kaşındı. Kimi geceler düşümde babamı korkunç ölümlerle birkaç kere öldürürdüm. Kulağım için değil, Zehra teyzeme saldırdı diye. Bütün suçu ona yüklüyordum. Yanımdayken yüzümden kan çekilir; konuşmazdım. Korkuyordum ondan. Ya teyzem? Onu hep sevdim. Sonraları babamla isteye isteye yattığını düşündüğümde bile bağışladım onu. Gözümde daha büyüdü. Öteki onun önünde hizmetçilere saldırır; teyzem sanki görmezdi. Güzün beni yatılı okula verdiler. Bir ay sonra teyzem öldü. Artık yalnızdım. Arkadaşlarla anlaşamıyordum. İnsanların kaçınılmaz ikiyüzlülüğünü görüyordum. Bir gazozluk dostlar! Herkes tren yolculuğundaki süreksiz tanışıklıkla yetinir gibiydi. Çok para lafları! Hoşlanmıyordum. Belki her zaman çok param olduğu içindi. Galiba babam, sevgisizlik borcunu bana parayla ödüyordu. Yılda bir iki kere beni görmeye gelirdi. Neler anlatırdı? Ben hep "gideyim artık" diyeceği ânı beklerdim. "— Gideyim artık." Elini uzatırdı. Bu el!.. Öperdim. Çabuk kurtulmak için diye düşünürdüm. Yoksa korkudan mı? İşte ben buyum! Çocukluğumda ona benzememek kolaydı. "— Bıyık bırakmıyacam" "Komisyoncu olmıyacam" demek. Çıplak bacaklı kadın düşleri başladığı zamanki umutsuzluğum! Hiç kimse erkek yaratılmanın azabını benim kadar çekmemiştir. İçimdeki batıcı kadın isteğinden kurtulmak için boyuna okurdum. Olmuyordu. Kendi kendimle oynardım. On yedi yaşında geneleve gittim. Feyyaz'la. Bu Feyyaz benden büyüktü. Kadınları anlatırdı. Çoğu yalandı ama, onu dinlemek hoşuma gidiyordu. Odadan çıkınca bomboştum; kötüydüm. Bir daha gitmedim. O yaz evde gene hizmetçiler değişiyordu. Birini hatırlıyorum. Bendeki somurtkanlığın arkasında gizli kadın düşkününü fark etmiş olacaktı. Eteklerini sıyırıp dolgun, beyaz bacaklarını gösterir, "— Korkma, gel! Yemezler seni," derdi. Kaçardım. Babamın gelmediği geceler, koca evde onunla yalnız olduğumu bilmenin tedirginliği! Böyle geceler, çıkıp bir otelde yatmadığıma göre bu tedirginliği istiyordum demek. Yatağa uzanır, merdivenlerdeki çıtırtıyı beklerdim. Başım uğuldardı. Kapıda durup, "— Gireyim mi?" diye sorardı. Tanıyamadığım bir sesle, "— Hayır!" derdim. Bedenim yanardı. "— Kapıyı sürgülemediğini biliyorum," derdi. "İstiyorsun. Hadi, gel deyiver," Uzayan sessizlik! Kadın sesinin yumuşak çağrısı. Nice sonra, "— Bacaklarımı düşün," derdi. Düşünürdüm. Babamın sesini duyardım: "— Zehra, şu bacakların yok mu?" "defol!" diye bağırırdım. "— Çatla!" derdi. "Gidicem. Sen çağırmadan girmiycem; çatla sen." Bir kere daha kurtulduğumu düşünürken ağlamak isterdim. Bir gece merdivenlerdeki çıtırtı biter bitmez, konuşmadan girdi. Üstüme atılışındaki çabukluk! Onun bilen, hoyrat dişiliği! Terleyen insan etinin şıkırtısı! Bıyıklar. Bıyıklar! Bacaklarına dokunmadım. İnan bana, dokunmadım! Ayrılınca, "— Babandan yamansın sen," dedi. O zaman vurdum. Oda karanlıktı. Işık olsaydı onunla yatmayacağımı biliyorsun değil mi? Bacaklarını görseydim bunlar olmazdı. İnanıyor musun? Bacaklarına dokunmadım; inan dokunmadım!

— İnanıyorum. Canım benim, anlatma artık! (Yüzüne baktıkça ona sarılmaktan çekiniyordu. İçini böyle çırılçıplak açan birinin, artık bunları gören insanı sevemeyeceğini sanıyordu. "Beni bırakırsa, bunları anlattığı için bırakacak," diye düşündü. C., onun sesini duymamış gibi konuşuyordu.)

— Ertesi yıl kolejde boksa başladım. Ötekilerin benden yılgınlığı hoşuma gidiyordu. Kaskatı bir adam yapıyorlardı beni. Spor hocası, "— Sen gerçekmiş gibi dövüşüyorsun," derdi. Bütün bunları yalnız yorulmak için yaptığımı anlamazlardı. Son sınıftayken babam öldü. Evde yüzünü açıp gösterdiler. İçimi saran kurtuluş rahatlığını hatırlıyorum. Okula döndüğüm gün bahçede bir şeye gülmüş olacağım ki yanımda duran Feyyaz, "— Yuf ulan! Dün babası öldü, bugün gülüyor," dedi. Saldırdım. Elimden güç aldılar. Yüzü kanlıydı. Okuldan kovacaklardı beni. İngilizce öğretmeni onlara babamın yeni öldüğünü hatırlattı. İnsanlardaki saçmalığı görüyor musun? Kovulmaktan, beni babamın ölümü kurtarıyordu! Koleji bitirdiğim yıl can sıkıntısından Edebiyat Fakültesine yazıldım. Dört ay dayanabildim. Sonra askere gittim. Beni tercüman yaptılar. Patlıyordum. Birkaç kere kıtaya göndermelerini istedim. Olmadı. Hiç yoktan, tercümanlığını yaptığım Amerikalıyı dövdüm. Neden vurduğumu sordular. "— Parmaklarını kütletiyordu," dedim. O zaman Kağızman'a sürüldüm. Orada altı ay İzmirli'yle aynı evde kaldık. Adı Ahmet'ti ama ona İzmirli derdim. Kaymakamlıkta bilmem ne memuruydu. Hep İzmir'e naklini isterdi. Kısa boyluydu, çevikti. Rakı içmeye onunla alıştım. "— Bu gece içelim mi?" derdi. "— İçelim." Onun odasına otururduk. İçtikçe çenesi açılır, acayip şeyler anlatırdı. İnsanları yalan söyledikleri zaman dinlemeyi severim. Olmak istedikleri, olamadıkları "kişi"yi anlatırlar. İzmirli'nin sevilmemiş, hor görülmüş bir adam olduğunu sanıyorum. İçerken anlattıklarında o, herkesi kırana koyan biriydi. Attığı yumruğu gösterirken masa sallanırdı. "— Yavaş," derdim, "şişeyi devireceksin." Hoşuma giden iğrenç bir hüneri vardı. İstediği yere tükürebilirdi. "— Duvardaki aynayı görüyor musun? Bak şimdi." Nişan alıyormuş gibi az bekler, tükürürdü. Aynadaki tükürük aşağı sarkarken, "— Bir gün kaymakamın gözüne tükürecem," derdi. "Bağırırken gözlerini nasıl açıyor görsen! Haaak, tü! Şak! Tam gözünün karasına. Bir gün tükürecem." Ben Kağızman'dan ayrıldığımda daha tükürememişti. Kimi gece odama girip cebimdeki ufak paraları çalıyordu. Masada dili dolaşarak sustuğu zamanlar, bana nasıl baktığını görür, "Şimdi benden para çaldığını söyleyecek" diye düşünürdüm. Oysa hep, "— Kötü yaşıyoruz, kötü!" derdi. 'Bana rakı ver C.!' Vermezdim. "— Rakı bitti" derdim. Söverdi. "— Orospu çocuğu! Parlak oğlanlardan adam mı çıkar? Rakı istiyorum ben." "— Bitti, kalmadı" derdim. Başını masaya dayar ağlardı. "— Kötü yaşıyoruz, kötü!" Güleceğim gelirdi. Kalkar, onu yatırırdım. Ben, kadınlardan söz edildiği geceler çok içerdim. İzmirli kasabadaki bir evi anlatırdı. Belki de, "Beni şu sakız çiğneyen kadının evine götür," dememek için içiyordum. İçtikçe genzimdeki anason kokusu kaybolurdu. Bir ara sigara dumanıyla dolu oda daralır; dört demirinde topuz yerine dökme pirinçten, adını bilmediğim bir hayvan başı takılı karyolanın üstüne örtülmüş is rengi yorgan beni sarıp boğacakmış gibi kıpırdamaya başlardı. O zaman bana, bu basık odada, sesi uzaktan gelen ufacık adamın karşısında oturan ben değilmişim, bir başkasıymış gibi gelirdi. Kalkar, sokağa çıkardım. Soğuk, eğri büğrü, insansız sokaklar! Sürü sahiplerinin, bakkalların, kasapların, memurların uyuduğu evler! Aralarında ben! Yapayalnız, iğreti.

Birden beline sarılan kolla titredi. Ayşe, başını kucağına koymuş,

— Yeter, diyordu. Korkuyorum. Anlatma.

Yatağın yanındaki sehpadan paketi alıp bir sigara yaktı. 'Korkuyorum,' demişti. Sormadı. "Keşke hiç anlatmasaydım." Oysa daha anlatacağı ne çok şey vardı! Terhisten sonra Fransa'ya, İngiltere'ye gidişi, bu yirmi günlük sıkıntı! Üç yıldır sürüp giden aramalar. Laura'nın kısa kıllı bacakları... Güler'i bile tam anlatmamıştı. Bacaklarını öpemediğini söylememişti ona. Derin localı sinemanın önünde bekleyen şaşı kadın vardı. Bütün ülkelerde yaşayan insanların birbirine benzeyişleri vardı. Elinde tatsızlaşan sigarayı küllüğe bastırdı.

— Londralı kasapla İstanbullu kasap dünyaya aynı gözlerle bakarlar, dedi.

Kucağına yayılmış saçları okşadı.

6

"Ağustos. 28

Dün gece düşümde Londralı kasapla İstanbullu kasabı gördüm. İkiz kardeş gibiydiler. Konuşuyorlardı. Sonra, ne oldu, satır satıra giriştiler. Kendi bağırmamla uyandım. Kapı açıldı. Saçları dağınık, bana geliyordu.

— Ne var, ne oldu? dedi.

— Kasaplar! dedim. Ah, sarıl bana, sarıl! Bırakma beni!

Sarıldık. Her yanım az az acıyordu. Korkmuyorum artık, seviyorum."

....

"Eylül. 1

Plajda uzanmış konuşuyorduk. Ona en sevdiği ressamı sordum.

— Van Gogh, dedi.

— Neden?

— Kulağını kesebilmiş; sol kulağını. Bunu yapan ilk adam o.

Sustu. Az sonra değişik bir sesle,

— Ama o bile eksik adamdı. Tımarhanedeyken yaptığı kendi portresinde insanlara yüzünün kulaksız yönünü gösteremedi. Tam adam yok!

Bu sözlerin o gece anlattıklarıyla bir ilgisi yok mu? İki gündür sık sık dalıyor."

....

"Eylül. 3

Babamın, annemin mektupları. Hep aynı terane. Onlara yazdığımı bilmiyor. Kimsem yokmuş gibi yaşıyoruz. Ya da unutmuş gibi. Oysa var onlar, biliyorum. Yakında dönecekler. O zaman ne olacak? Annem beni görmeden durabilir mi? C.'ye onların varlığını hatırlatmam gerek. Neden çekiniyorum?"

....

"Eylül. 6

Bu yaz hiçbir ressam benim kadar mavi boya harcamamıştır."

....

"Eylül. 8

Kıyıda, belki hiç bitiremeyeceğim resme çalışıyordum. Arkamda uzanan C. bir şey söyledi. Döndüm.

— Anlamadım, dedim.

— Kuyara ile Adako, dedi.

— Ne o? Bir ilkçağ trajedisinin adı mı?

Paleti bırakıp gittim yanına oturdum.

— Bütün çağların trajedisi bu, Ku-ya-ra; 'Kumda yatma rahatlığı.' A-da-ko: 'Ağaç dalı kompleksi.' Şimdi kumda yattığım için kuyara diyorum. Daha da genişletilebilir. Kuyara, alışılmış tatların sürüp gitmesindeki rahatlıktır. Düşünmeden uyuyuvermek. Biteviye geçen günlerin kolaylığı. Ya adako? Ağaç dalındaki, gövdeden ayrılma eğilimini fark ettin mi bilmem? Hep öteye öteye uzar. Gövdenin toprağa kök salmış rahatlığından bir kaçıştır bu. Özgürlüğe susamışlıktır. Buna ben 'ağaç dalı kompleksi' diyorum. Genç hastalığıdır. Çoğunlukla Kuyara dişidir. Adako erkek. Pek seyrek cins değiştirdikleri de olur. Ağaç dalı kompleksine tutulmuş kişi tedirgindir. İnsanların ağaç dallarını budayıp gövdeye yaklaştırdıkları gibi, yakınları onun içindeki bu Adako'yu da budarlar. Onu gövdeden ayırmamak için ellerinden geleni yaparlar. Kimi insana ne yapılsa yararı olmaz. Asi daldır o. Ayrılır. Balta işlemez ona.

Sustu. İki sigara yakıp birini bana verdi.

— Çalışmıyor musun? diye sordu.

— Çalışıcam.

Paleti, fırçayı elime alıp denize baktım. Gözlerim yanıyordu. Bir gün beni bırakacak. İlk seferki gibi habersiz, birden kaybolacak. Arkamda kumsala yatmış, kim bilir neler düşünüyordu. Bütün suç onun aylak oluşunda, bari resim yapsa."

....

"Eylül. 12

Beş gündür onun beni bırakıp gitmesini beklemekle eskiden bana gelmesini beklemenin üzgünlükleri arasında hiçbir ayrılık yok. Uzadıkça dayanılmaz oluyor. Bu akşam yemeğe gelmedi. 'Gitti,' diyordum, buymuş işte. 'Yarın çantamı alır, ben de giderim.' Ferahladım. Elime bir kitap alıp salonda oturdum. Çoğu geceler burada birlikte okurduk. Bir ara kalkar dolaptan buğulu üzümler getirirdim. Belki bu gece dolapta üzüm bile yoktu. Geç vakit geldi. Sapsarıydı. Kitabı bırakıp ona yaklaştım. İki elini uzatıp beni durdurdu.

— Yaklaşma, dedi. Ağzım anason kokuyordur. Sarhoşum ben!

Gitti odasına kapandı. Rakı içerek kurtulmak istediği neydi? Yoksa baştan beri ikimiz de sevişmece oyunu mu oynuyorduk? Gerçek olan içimdeki bu boşluk mu? Değil! Bir şey var, ama eksile eksile var."

7

Yüzünü kuruladığı havluyu çiviye astı. Saat ona geliyordu. Bu sabah yataktan kesin bir kararla kalkmıştı. Onunla açıkça konuşacaktı. Bu böyle sürüp gidemezdi. Kafasında, Ayşe'nin dün gece söylediği bir söz dönüp duruyordu: "— Bugün babamdan mektup aldım. On gün sonra dönüyorlarmış." Onlardan bu ilk söz edişiydi. Birkaç gündür ikisi de, ilk günlerin huzuruna dönebilmek için sanki omuzlarına bir sihirli değnek dokunuşu bekler gibiydiler. Olmuyordu. Artık dünyada ne sihirbaz vardı, ne de sihirli değneği kestikleri ağaç. En iyisi açıkça konuşmaktı.

Ayşe'nin odasına doğru yürürken masanın alaca örtüsü üstünde duran kâğıdı gördü. Alıp okudu: "Öğle yemeğine burdayım." Nereye gitmişti acaba? Daha iki saat beklemesi gerekti. Kâğıdı buruşturup attı. "Okusam? Geçen gün elinde gördüğüm Faulkner. Neydi adı?" Odanın kapısını açtı. Onun saçlarında tanıdığı bu belli belirsiz kokudan bugün ayrılacaktı. Masadaki kitapların yanında kara kaplı bir defter duruyordu. Yapraklarını karıştırınca şaşırdı. Günlüğü olduğunu bilmiyordu. Güldü. Yalnız liseli kızlarla büyük yazarların günlük tuttuklarını sanırdı. Kendi adının geçtiği bir yerden okumaya başladı. Semra'dan bahsediliyordu. "Bak sen! Demek ben onunla dopdolu otururken o, Semra'yı kolluyormuş. Pencerede onun yüzünü neden gördüğünü şimdi anlıyorum. Demek o zamana dönüş de yararsız. İşte hep bu. Değişen yok." Temmuz 23'ün yanına yalnız iki kelime yazılmıştı: "Onu seviyorum." Buna da inanmadı. "Yalan! Beni sevseydin o günün 23 Temmuz olduğunu bilmezdin." Beş on yaprak atladı. Bütün suçu onun aylaklığına yüklediği yere gelince güldü. "Yoksa bu sabah bana iş aramaya mı gitti?" Bir yaprak daha çevirip yazıların bittiği son sayfadaki üç satırı okudu: "Anamın, babamın varlığına dayanamıyor. Neden her şeyi benden bekliyor? Kendi ölü babasından bile kurtulamazken!.." Başına sopayla vurulmuş gibi tutunacak bir şey aradı. Bunu dün gece yazmış olacaktı. "Ölü babasından bile kurtulamazken." İçini böylesine karartan yoksa bu sözün gerçekliği miydi? İki buçuk aydır kulağını kaşımadığı –"Hiç mi kaşımadım?"– onun bacaklarını öpebildiği halde bunu nereden çıkarıyordu? Hatırladı. Ona anlatmıştı. Elindeki defteri aldığı yere koyup hızla yürüdü. Dış kapıyı açtı; çıktı.

Deniz kıyısındaki gazinoda, masalardan birinin önüne oturur oturmaz bunun geçen günkü masa olduğunu tanıdı. Karşısındaki camın bir köşesinde gene o at nalı biçimindeki çatlak vardı. Anahtar deliğine de benziyordu; acayip, geniş bir anahtar deliğine. Böyle bir delikten, insan isterse bir odanın içini tekmil görebilirdi. Camın ardı bozumsu bir denizdi. Gökte bulutlar vardı; su katılmış rakı renginde... "Nerde kaldı bu garson!"

— Affedersiniz beyim. Servis daha başlamadı. Az bekleyeceksiniz.

Bu cam ardı denizinin önünde oturup bekleyemezdi. İçmek istiyordu. Cebinden bir kâğıt para çıkarıp garsona uzattı.

— Rakı istiyorum, dedi. Şimdi! Cacık, pilaki falan; bir şeyler uyduruver.

Adam, tepesindeki yuvarlak dazlaklığı gösterinceye dek eğildiğine göre verdiği büyükçe bir para olacaktı. Bu yuvarlağa tükürmekten kendini güç tuttu. "İşte her deliğe uyan anahtar. Para verip rahatlarmışım!.. Bu mu rahatlık? Çalınmış parayla köle alır gibi... Neden, '— Şu adamın rakı içmesi gerek,' demiyorlar? 'Evinde içseydin.' '— 'Ya burda içmek istiyorsam?' '—Bekleyeceksin.' Ya bekleyemezsem?' Söyle! Başka yolu var mı? Ben..." Garson elindekileri masaya bırakıp çekildi. "... parayı alana veririm." Bardağı doldururken, önemli olan artık içkiyi nasıl getirttiği değil, onu bir an önce içmekti. Yüzünü buruşturdu. Bu anason kokusunu sevmezdi. Ondan, eskiden birkaç kere bulduğu o kurtulmuşluk duygusunu umuyordu.

Bir saat sonra gazino dolmaya, gülüşmeler artmaya başladığı zaman bir ufak şişeyle bir cacık daha istedi. İçtikçe sanki sıkıntısı sulanıp büyüyor gibiydi. Kurtuluş yoktu. Sağına soluna baktıkça, gözüne kestirdiği birine, kafasında sıkıntılı, pis bir hayat yaşatıyordu. Önce adama bir iş uydurdu. Ona yaşattığı hayat ne kadar kötüyse o kadar seviniyordu. Seçtiği kurbanlar hep en çok gülenlerdi. Ne vardı gülecek? Onunla birlik bu, içilmiş şarapla anason kokan dünyada yaşamıyorlar mıydı? Kulakları hafiften uğulduyordu. Önündeki şişe bitince içinin bulanacağını bile bile içiyordu. Ayakkapları gittikçe ufalıyormuş gibi ayaklarında bir karıncalanma vardı. Sık sık parmaklarını oynatıyordu.

Bir sigara yaktı. Geçen gelişinde yalnız "at nalı gibi" diye düşündüğü camdaki çatlaklığı bugün neden anahtar deliğine benzetmişti? Hiç anahtar deliğinden bir odanın içine bakmış mıydı? "Bir gece, o yaz. Uyandığında, sanki evde somya gıcırtısından başka ses yoktu. Kalktım. Yalınayak, usul usul... Teyzemin kapısında durdum. Ses yoktu. Hayır, vardı. Yaşayan bedenimin sesi. Eğilip anahtar deliğinden baktım. Gece lambasının ışığında bir iskemlenin yarısı görünüyordu. Üstüne küçük, beyaz bir giysi atılmış. Bir tek... Neden delik daha geniş değildi? Giysi bir erkek donu muydu?.." Yere düşen bir çatal sesiyle silkindi. Sigarasını ağzına götürürken sağındaki masada oturan adamı gördü. Bu adam karşısındaki arkadaşının anlattığını dinlemiyor, boyuna ona bakıyordu. Gözlerini çevirmedi. Yaşlıcaydı. Burnu sivriydi. Özene bezene taranmış açık renk saçları vardı. Kafası başladı: "İçerken bile saçları karışmıyor. Eskiden güzelmiş, belli. Parlak oğlanlardan adam mı çıkar. İşi? Öğretmendir. Şimdi her sabah tıraş olur. Öğrencilerine..." Adam gülümsedi.

— Sizi birine benzetiyorum galiba, dedi.

Gözleri koyu maviydi. Sigarasını attı.

— Babamı tanır mıydınız? diye sordu.

— Bilmem ki... Adı neydi?

— Unuttum, dedi.

Kalktı. Konuşan, gülüşen insanların oturduğu masaların arasından geçip garsona para verdi. Çıkmadan son gördüğü garsonun tepesindeki dazlaktı. Bu kere içinden oraya tükürmek isteği gelmedi.

Kapalı havada, denizi arkasında bırakıp yürüdü. İçerdeki öğretmene babasının adını unuttuğunu söylemişti. Yalandı. Onu unutamayacağını biliyordu. Belki adamın onu birine benzetmesi de bir tanışma bahanesiydi. Lafı biraz uzatsa onu masalarına çağıracaklar. "Beyefendi"li "Bendeniz"li bir meyhane yarenliğine başlayacaklardı. "— Bendeniz ekmek kadayıfını kaymaksız severim. Zevk meselesi. Dostlar şaşarlar..." İnsanlar böyleydiler. İçeni, içmeyeni tren yolculuğundaki süreksiz tanışıklıkla yetinirdi; ya da meyhane masasındaki. Konuşmadan zıkkımlanamazlardı. Kağızman dönüşü, trende karşısına oturan adamı hatırladı. Boyuna konuşuyordu. "— Restoranlar çok ucuz beyefendi. Bir şişe bira dahil 475 kuruş! Bakın, defterime yazdım. Yirmi beş kuruş bahşişle beş lira. Günlük masrafımı kaydederim. İyi oluyor; insan biliyor. Mesela geçen yılın 2 Martı'nda ne harcamışım, bilirim. Bir kuruşluk suyu bile yazarım." Anlatıp dururken yukardaki raftan kafasına bir tahta valiz düşmüştü. "Neyse, bayılır artık" diye düşünürken, herif başını kaşımış, "— Üzülmeyin, alışıktır. Çocukluğunda üstünden manda arabası geçti de gene bir şey olmadı," demişti. "O zamanlar kibarmışım ben. Ne herifi susturmuş ne de kendim basıp gitmiştim. Ankara'ya dek sürmüştü. Sonra bir başkası yok muydu?" İnsanlar her yerde böyleydiler. Kısasından isterlerdi. Hep aynı çamurdandılar; sevgiymiş, dostlukmuş; laftı. Gelip geçenlere bakmıyordu. Solundaki evlerden birinde bir kadın türkü söylüyordu: "Elinden su içmeye, yar yar yar aman." Belki Ayşe şu anda evde onun gelmesini bekliyordu. Gitmeyecekti; şimdi konuşamazdı. Günün ikinci kesin kararını verdi: Onunla akşama doğru konuşacaktı.

Yürüdükçe iki yanındaki evler seyreliyordu. Çok sonra tozlu bir kır yolunun kıyısındaki hendeğe atlayıp işerken bacaklarının yorgunluğunu duydu. Bu yorgunluğu eskiden de aramıştı. Geldiği yoldan şehre dönerken midesi ekşiyordu.

"Ne vardı gidip o meyhanede içecek! En iyisi böyle yürümek değil mi? Bu yaz yürümeyi unuttum ben. Çok oturdum; hayır çok yattım. Terden, yorgunluktan korktum. Rahattım. Rahatına düşkünlerden, eli paketlilerden bir ayrılığım yoktu. Ona 'ötekiler yok; ikimiz varız' diye bağırdığımda bile ötekiler gibiydim. Neden gülüyorsun? Bir ay akşamları eve üzüm taşımadım mı?

Üzümü hep aynı manavdan almadım mı? O gün bu kalın kaşlı manav bana kocaman kesekâğıdını uzatıp, '— Razakı seversiniz siz. Bitecek gibiydi de ayırdım,' deyince sevinmedim mi? Adama parasını verirken kendimi dükkânın aynasında, kucağımda kesekâğıdıyla görünce utandım. Sanki aynadaki ben değildim. Gece, razakı üzümü yiyebileceği için sevinen biriydi bu. Bir daha üzüm almadım. Belki de aramızdaki değişiklik o gece başladı. Yoksa perdeyi kapamak istediği gece mi? Belki daha önce. Ona T. Capote'nin o küçük hikâyesini verdiğim gün. Okurken nasıl mutluydum! Bu büyük zevki ona ben tattırıyorum diye... '— Nasıldı hikâye?' '— Güzel! Üzümleri getireyim mi? Soğudular mı acaba?' İçimde bir şeyler yıkıldı. İşte buydu." Bir sigara yaktı. Midesi ekşiyordu. Geğirdi. Gökte hep o gazino camından gördüğü, su katılmış rakı rengi bulutlar vardı.

İki yanında evler yeniden başladığı zaman, en kötüsü sokaktaki kadınları görmesiydi. Sanki bakmadan görüyordu onları. Hızlı yürüyordu. Plajın önünden geçince daha da hızlandı. O daracık kumsala çabuk varmak istiyordu. Orada, denizin karşısında durdu. Yorgundu. Çevresine baktı. Çoğu öğle sonları şuraya uzanır, onu seyrederdi. Bazı günler eteklerinde zenci kızları uçuşurdu. Ayşe, arkası dönük, "Kıyısında iki insanın seviştiği deniz" resmine çalışırdı. Bu saçmalık önce hangisinin aklına gelmişti? Dünyada öyle deniz yoktu. Olsa olsa kıyısında iki insanın çiftleştiği deniz vardı. İşte şu durgun, bozumsu deniz! Bacaklarını ilk burada öpmüştü. Nerdeydi o sağanak sonu kokusu? Onları öpmenin yürek çarpıntısını nasıl olmuştu da yitirmişti? Yoksa bütün bunlar isteğine ulaşmış, kanmış erkek etinin tedirginliği miydi? "Bu değil, değil, değil!" (Sus, bağırma! Sonra böyle olduğuna inanırız. İnsanlar haksızken daha çok bağırırlar.)

Düğmelerini kopartacak bir ivecenlikle soyundu. Mayosu yoktu. Hiçbir şeyi değiştiremezdi bu. Donuyla girecekti. Denizin içine yürüdü. Soğuk su çizgisinin bedenindeki yavaştan yükselişini duyuyordu: Ayaklarından baldırlarına, dizlerine, bacaklarına... Sonra donu ıslandı. Bu bir erkek donuydu. Gözlerini kapayıp atladı. Acaba babası da yüzer miydi? Kurtuluş yoktu. "Neden yokmuş! Deniz dibinin suskunluğunda balık dişleriyle ısırılmak... Okulda balık gözlü bir çocuk vardı. Neden insan gözlü balıklar olmasın? Öyle yorgunum ki!.." Bütün gücüyle dönüp kendini dimdik bıraktı. "Deniz dibi insan leşini kabul etmez." Ona çok uzun gelen bir inişin sonunda ayakları kaygan çakıllara bastığı zaman başı suyun üstünde kaldı. Bu bedensiz kafanın tuhaf bir görünüşü olmalıydı. Şu an onun içinden, boğulsaydı giysilerini kimin bulacağı geçiyordu. Uzakta, büyük şehrin kupkuru minarelerini gördü. Kıyıdan, yaşayanların belli belirsiz sesleri geliyordu. Saçlarından süzülmüş bir damla su dudaklarına inince yalandı. Tuzluydu. "Bu tat?" Hatırladı. Zehra teyzesinin çarşıdan getirdiği yeşil erikleri tuza banarak yerlerdi. "— Yeme artık, dişlerin uyuşacak!" Bakışlarında hep o sevgi ışıması olurdu. Birden denizin içindeki kıllarında bir ürperme duydu. Aldana aldana bir gün onu bulacaktı. Kaygan çakıllarda yürüdü. Önce omuzları göründü; sonra göğsü, kolları, beli, donu, bacakları, dizleri, baldırları, ayakları. Islak ıslak giyindi. Artık gidip Ayşe'yle konuşabilirdi.

Eve yaklaştıkça, pantolonunu üstüne çekiverdiği ıslak donun sarkışı, yapışkanlığı artar gibiydi. Deniz kıyısında giyinirken onu neden çıkarıp atmamıştı? İnsan bir şey yapmaya hep geç kalırdı. İçeri girip kapıyı kapadı. Başında hafiften bir ağrı vardı.

— Ayşe! dedi.

Ses yoktu. Gözleriyle çevresini araştırdı. Masanın üstünde bir kâğıt duruyordu. Yaklaştı. Kıyısı, içi çiçek dolu vazonun altına kıstırılmıştı. Alıp okudu: "Bir haftadır beni bırakıp gideceğin günü bekliyorum. Bu bekleyiş üzgünlüğünü bilsen! Dayanamayacağım, ben gidiyorum. Belki daha iyisine ulaşmak elimizde değil. Bilmiyorum. Hoşça kal" İşte her şey o yokken olup bitmişti; aralarında sıkıcı bir konuşma olmadan. Birden inanılmaz bir ferahlık duydu. Elindeki kâğıdı attı. "Neden günlüğünü okuduğum için bana kızdığını yazmamış?" Acayip bir sesle güldü. Şimdi yapacağı bir şey yok muydu? "Ha, şu don..." Odasına girip donunu değiştirdi. Karyolanın yanındaki sigara sehpasını oturma odasına götürdü. Salondaki vazonun içinden çiçekleri attı; suyu döktü. Getirdi, yatağının yanına koydu. Bir sigara yakıp uzandı. Yorgundu. Sol eliyle alnını oğuştururken o günün üçüncü kesin kararını verdi: Yarın bavulunu alıp şehre gidecekti.

GÜZ

1

Sultanahmet durağından, Nişantaşı'nda inmek niyetiyle Maçka tramvayına binmiş bir adam, dışarıya baktığı camdan ne sevdiği kadını, ne de bir tanıdığını gördüğü halde yarı yolda neden iner? Bazen insanı bir yangın kulesi de çağırır. Hele bu adam, öğle yemeğini yediği kalabalık lokantadan çıkıp nereye gideceğini bilmeden yürürken derin localı sinemanın kapısında bekleyen şaşı kadını görür görmez dönmüş, Alemdar'a dek yürümüş, çocukluğunda içinde yaşadığı iki katlı eski evin önünden geçip, kafası o günlerin kimi açık, kimi belirsiz, karışık anılarıyla dolu, tramvaya binmiş biriyse, yalnızsa, aylaksa onun nerede ineceği bilinmez. Ucunda Galata kulesinin göründüğü sokağa bir an önce erişmenin ivecenliğiyle inerken çarptığı genç kıza düşünmeden, "— Pardon!" der de yüzüne bakmaz. (Bu kız B. idi. İki gündür hasta yatan Güler'i yoklamış, Şişhane'de tramvaya biniyordu. Koluna çarpan adamı eskiden bir yerde gördüğünü sandı.)

Adam sokağa doğru yürüdü. Bu şehirde onun sayısız anıları vardı. Karşı apartmanlardan birinde oturan, mutluluğu 'üç oda bir mutfak'ta arayan Güler'i hatırladı. "İşte kahve! O gün ayakları ıslanacak diye üzülmüştüm. Kahvecinin bir eli altı parmaklıydı. Güler şimdi derstedir. Can sıkıcı derslerin birinde." Sokağa saptı. Ne vardı bu sokakta? Onunla ilk defa burada konuşabilmek için tam üç gün beklemişti. "Sonra? Hiç! Kulağını bile öpmüştüm." Onun bir insan kulağını öpebilmesi yabana atılacak bir şey değildi. Kafasının derinliklerinde bir ışık parlar gibi oldu; söndü. Umutlandı. Hatırlamak istediği belki de kulakla ilgili bir olaydı. Tekrarladı: "Kulağını bile öpmüştüm. Kulağını." Olmuyordu. Aklında ne varsa kovup, yalınkafa bir daha zorladı. Yararsızdı. Kulağını kaşıdı. Sanki yangın kulesi dilini yutmuştu.

Karşıdan, önündeki çocuk arabasını iterek bir kadın geliyordu. Artık kadınlar çocuklarını kucakta taşımıyorlardı. "Kucak!" Birden büyük bir ferahlıkla her şeyi hatırladı: Tramvaydan indiklerinde teyzesi onu kucağına almıştı. Tanıdık bir doktora gidiyorlardı. Oysa hasta falan değildi. Teyzesinin göğsü yumuşaktı, rahattı. Gözlerini sallanıp duran şu acayip kuleden ayıramıyordu. Bir ara, "— Dermanım kesildi; in kucağımdan da biraz yürü!" demişti. Boynuna sarılmış, inmemişti. Kucağı rahattı. Burnunda onun kokusu vardı.

Bir sigara yakıp durdu. İşte sokak ondan gizlediğini sonunda açıklamıştı. Demek döne dolaşa hep Zehra teyzesine varacaktı. Bugün gene, sinemanın önünde o şaşı kadını görünce Alemdar'a dek yürümemiş miydi? Aradığı, belki etini satan o şaşı kadındı. Neden gidip onunla tanışmıyordu sanki? Kafasındaki bu düşünceden korkmuş gibi, çaresiz iki yanına bakındı. Solundaki dükkânın kapısında duran bakkal,

— Bir şey mi arıyorsunuz beyim? diye sordu.

— Evet! Eski bir koku, dedi.

— Buralarda bulamazsınız. Caddedeki eczaneye sorun bir kere.

Geri dönüp yürüdü. Eczaneler onun bulmak istediği kokuyu değil, azap çekenlere DERMAN satarlardı. Onu nerede arayacağını biliyordu.

Caddeye çıkınca bir tramvaya atladı. Galatasaray'da inip sinemanın önüne vardığında şaşı kadın yoktu. Bir müşterisiyle içerde, derin localardan birinde olacaktı. Holün duvarına yaslanıp bekledi. Üst üste iki sigara içti. Karşısındaki afişte büyük ağızlı, büyük dişli bir kadın eteklerini uçurmuş, bacaklarını gösteriyordu. Artık kadın bacaklarından korkmuyordu. Oysa yalnız Ayşe'ninkilere dokunabileceğini sanırdı. İki insan ayrıldıkları zaman birbirlerinde bir şeyler bırakıyorlardı. Bunu geçen hafta Sacide'nin odasında öğrenmişti. Onunla plak aradığı bir mağazada tanışmışlardı. Yirmi gün önce yazlıktan döndüğünde odasına pikaplı bir radyo kurdurmuştu. Eskiden nasıl kitap, resim ararsa şimdi de plak arıyordu. Sacide o mağazada çalışıyordu. Duldu. Annesi, üvey babası, biri kendi babasından üç küçük kardeşiyle Tarlabaşı'nda bir evin ikinci katında otururdu. O gece tiyatro dönüşü bu eve giderlerken Sacide, "— Uyanırlarsa yandım, diyordu. Hem alttakiler de var." Yanındaki kadını kendi evine götürmemesi belki de onun tedirgin, korkulu istekliğinden kalleşçe bir tat duyduğu içindi. Bir elinde ayakkapları, öteki Sacide'nin gergin katılaşmış avcunda, her basamağına iki ayaklarıyla da basarak –içinde bir sabırsızlık, onu kendi evine götürmediği için pişmanlık, ayakkaplarını atıp "Heyy, uyanın ulan!" diye bağırıvermek isteği– usul usul çıktıkları karanlık, tahta merdivenlerin sonunda girdiği bayat hava, "Karakedi" kokan, perdeleri inik odanın pembe ışığında, yerde, halının üstünde dizleri acıya acıya onun bacaklarını okşamış, beklediği o korkunç uğultuyu duymamıştı. İki gün sonra dudak boyalı, parfümlü, evlenme laflı sıkıntılar başlayınca bir daha o mağazaya uğramadı.

Birden büyük dişli kadın, Sacide, gişeden bilet alan birkaç kişi kafasından silindiler. Beklediği kadın salon kapısından çıkmış dışarıya doğru yürürken, onu görünce duraksadı; çevresine bakındı; yaklaştı. Şimdi yalnız bir yıldır her rastlayışında ona Zehra teyzesini taşıyan bu kadını görüyordu. Sırtında yıpranmış, kahverengi bir giysi vardı. Kolunda büyücek bir çanta sallanıyordu. Yanında durup, sanki duvardaki afişe bakıyormuş gibi yüzünü ona çevirmeden, dudaklarının bir tek kıpırtısıyla, insana az sonra, "— Ben konuşmadım" diye inkâr edeceğini düşündüren yavaş, kısık bir sesle,

— Girelim mi? dedi.

Kendini zorlayıp bu basbayağı, kişiliksiz burnu, bu kıvırcıklığının yapmalığı belli kumral saçları teyzesininkilere benzetmek istedi. Saçların kapamadığı kulağın ucunda yeşil taşlı, irice bir küpe vardı.

— Neden bana bakmıyorsun? diye sordu.

Kadının ona çevirdiği şaşımsı gözlerdeki o büyük yağmalardan arda kalmış nemli pırıltıyı görür görmez, onların yüzüne yakından bakmasının dayanılmaz isteğiyle yüreği çarptı. Bu gözler Zehra teyzesinin gözleriydi. Kadın,

— Girelim mi? diye yeniden sordu.

Onu içeriye çağırıyordu, derin localardan birine. Dudaklarının solgun, morumsu kırmızılığında yer yer ince çatlaklar vardı. Feyyaz, "— Onlar dudaklarını öptürmezler," derdi.

— Burada olmaz. Benim evime gelir misin?

— Eve gidersem sana pahalıya oturur.

Sol şakağında, gözüne yakın çabuk geçen bir ağrı duydu. Genelevde, butları oturmaktan kızarmış kadın, "— Parayı aşağıda madama verirsin," demişti. Ona teyzesinin gözleriyle bakan bu kadının, etinin değişik ücretinden sözedişi belki bulundukları yerde sayısız erkekle yaptığı pazarlıkların alışkanlığındandı. Onu buradan götürecekti.

— Gel, dedi. Para lafı etme. Sana istediğinden çok veririm.

— Evin uzakta mı?

— Hayır.

Çıktıkları caddenin kalabalığından sıyrılıp karşı sokaktaki taksilerden birine girdiler. Yolda kadın hep yanındaki camdan dışarıya bakıyordu. "Şimdilik ona göre binlerce müşteriden biriyim. İlerde 'Sana pahalıya oturur' dediği için utanmayacak mı?" Hiç konuşmadılar. Apartmanın önünde inince şoförün parasını verdi. Yan yana basamakları çıkarlarken kadın, sesinde bir şaşırmışlıkla sordu:

— Burada mı oturuyorsun?

— Evet.

Kapıyı açtı.

— Yalnız mı?

— Evet.

— Demek evli değilsin?

— Değilim.

Onu oturma odasına doğru götürüyordu. İçerde çevresine bakınan kadının şaşkınlığı artmış gibiydi. Çantasını masadaki kitapların yanına bırakıp ona döndü.

— İnanacağım gelmiyor, dedi. Senin buraya beni getirmen! Hangi kadını istesen gelirdi.

Pürüzlü, yorgun bir sesle konuşuyordu. Gözlerindeki o bildik pırıltı olmasa sesindeki yorgunluğun nerden geldiğini düşünebilirdi.

— Seni istedim ben, dedi.

Gidip ona sarılsa, başını göğsüne dayasa, eskiden teyzesinin kucağındayken duyduğu kokuyu gene koklayacağını sanıyordu. Onda bu koku varsa, kurumuş terle kir kokusu ardına gizlense bile onu duyacaktı. Burnu keskindi onun. Kadının, ellerini göğsüne kaldırıp düğmelerini çözmeğe başladığını görünce şaşırdı.

— Ne yapıyorsun? diye bağırdı.

Yaklaştı.

— Ne mi yapıyorum? Soyunmayacak mıyım?

— Acele etme, dedi.

Kendiliğinden sedirin köşesine oturup onu kucağına çağırmasını beklemek yararsızdı. Her şeyi onun düzenlemesi gerekiyordu. Kolunu tuttu.

— Şuraya otur, dedi.

Sedire oturttu. Başını onun kucağına koyup uzandı. Eski evde, teyzesinin kucağına da hep böyle yatardı. Kulağının değdiği karından yavaş, süreksiz bir gurultu duydu. Aldırmadı. Teyzesinin de karnı guruldar mıydı? Bilmiyordu. Gözlerini yumdu. Burun kanatlarını gerip birkaç kere kokladı. Belki eski kokuları yeniden duymak olanaksızdı. Ayşe'nin saçlarındaki kokuyu, olmadığını bile bile ona benzetmemiş miydi? Belki onu hiç beklemediği anda duyacaktı.

— Saçlarımı okşasana, dedi.

Başı kucağındayken teyzesi kaşıya, çeke saçlarını okşardı. Böylesi değildi. Dalgın bir elin yavaştan gezintisiydi bu. Kimi geceler komşu kadınlar olurdu. Bunlardan birinin bile yüzünü hatırlamayışı tuhaftı. Gözlerini açtıkça hep teyzesinin kıpırdayan dudaklarını görürdü.

— Hiç konuşmuyorsun, dedi. Bir şeyler anlatsana.

— Ne anlatayım istiyorsun?

— Ne bileyim, çocukluğunu falan...

Saçlarında gezinen el durdu. Başının altındaki bacak kıpırdadı.

— Tuhaf adamsın sen. Benim gibi bir kadına çocukluğunu soruyorsun. Başka erkekler nasıl baştan çıktığımı merak ederler. İstersen beni nasıl baştan çıkardıklarını anlatayım sana.

— İstemem. Seni hep o sinemanın önünde görüyorum. Kovmuyorlar mı? Orda ne yaptığını bilmiyorlar mı?

— Bilmez olurlar mı hiç! Kazandığım paradan ordakilere de pay veriyorum. Gene de kovacaklar beni yakında, biliyorum. Yaşamak güç.

Gözlerini açtı. Kadın uzaklara bakıyordu. Yaşamanın güç olduğu bir dünyadan uzağa, çocuklukta tadılmış bir huzura kaçmak gerekti; hiç olmazsa bir güncük, yanında ona o tadılmış huzuru hatırlatan bu kadın varken. Sorduğu için pişmandı. Duymak istediği başka türlü laflardı; örneğin bir yemek tarifi. Çocukluğunda sık sık yemek tarifleri dinlerdi.

— Bana, 'Reçel kıvamına gelince indirirsin' desene.

— Anlamadım. Neydi?

Tekrarladı. Kadının dudakları oynadı. Pürüzlü, yorgun bir ses:

— Reçel kıvamına gelince indirirsin, dedi.

Oyunun tamamlanması için yapılacak artık tek bir şey vardı.

— Eğil! dedi. Eğil de burnumun ucunu öp.

Kadın eğildi. Yüzüne yaklaşırken daha da şaşılaşan gözlerinin nemli pırıltısı ardında gizli bir sıkıntı fark etti. Kadın burnunu öpüp doğruldu. "Yanımda canı sıkılıyor." Birden utandı. Onun da sıkılabilecek, güç yaşayan bir insan olduğunu unutmuş, bir deney aracı gibi kullanmıştı. "Parayla kiralanmış!" Acayip bir laboratuvarda başarısız bir deney yapmıştı. Olmuyordu. Huzurunu yaşadığı günde bulamayan insana kurtuluş yoktu. Kadın,

— Yoksa başka çeşit bir şey mi istiyorsun benden? diye sordu.

— Nasıl?

— Başka çeşit canım, anlarsın işte! Başka yandan... Bazıları ister. Sıkılma açık söyle.

Doğrulurken sol şakağında, gözüne yakın gene o ağrıyı duydu. İşte 'yaşanan gün' buydu. Kadın, onun sapıklığından kuşkulanıyordu. Kızmadı. Her gün o derin localarda kim bilir kimlerle karşılaşıyordu.

— Hayır, dedi. Hiçbir şey istemiyorum. Artık gidebilirsin.

— Gideyim mi dedin?

— Evet.

— Paramı almadan şurdan şuraya kıpırdamam ben!

Bu ses hakkını isteyen insanın şirretleşmiş, katı sesiydi. Gözleri donuktu, kupkuruydu. Cebinden bir ellilik çıkarıp ona verdi.

Paraya uzanan elin yer yer boyaları dökülmüş uzun tırnakları vardı. Kadın, masanın üstünden çantasını alıp gitti kapıyı açtı. Aralığında durup ona baktı.

— Sen...

Arkasını getirmeden çıktı. Ne söyleyecekti acaba? Sonra dış kapı kapandı. Artık şaşı kadın yoktu. Bir sigara yakıp radyonun düğmesini çevirdi.

2

Canının yemek istemediği günler oluyordu. Böyle günler, şehrin lokantalarını dolaşır, bir çeşit yemek arardı. Çoğu zaman bunun ya mevsimi geçmiş, ya gelecek bir yemek oluşu tuhaftı. Yorgun, umutsuz girdiği bir lokantada onu bulunca oturur; önüne koydukları tabaktan bir iki lokma alır; sanki aradığı o değilmiş, ondan daha başka bir tat bekliyormuş gibi bezgin tabağı iter, şarap isterdi. Çok içiyordu. Bazı geceler bardağını doldururken şişeyi elinden bırakıp kalkar, şaşıran garsona borcunu öder, gideceği bir yere geç kalmış gibi sokağa çıkardı. Yürüyen, oturan kalabalığın arasında 'o'nu arardı.

İştahsızlığı hep sol şakağının ağrıdığı günlere rastlıyordu. Bu ağrı artık çabuk geçmiyordu. Saatlerce sürdüğü olurdu. Bir gün dayanamayıp aspirin almak için girdiği küçük bir eczanedeki tezgâhtar kız, şakağının ağrıdığını öğrenince, "— Masaj iyi gelir," demişti. "İsterseniz yapayım." İçinde çoktandır unuttuğu insanca bir gevşeme, onu ürküteceği korkusuyla gözlerine bile bakmadan –beyaz önlüğündeki bir kırık düğmeyi görüyordu– başını serin parmakların rahatlaştıran oğuşturmasına bırakmış, nice sonra kızın sesini duymuştu: "— Çok düşünmekten ağrır burası. Kafa yorucu bir işiniz olmalı. Ne iş yaparsınız?" "— İş yapmam ben; aylakım." "— Yaaa!.." Şakaklarındaki eller çekilivermişlerdi; sanki bir aylak başı bir insan başı değilmiş gibi. Kapıdan çıkarken dönmüş, "— Çalınmış para yerim ben" demişti. Kızın büyük gözleri vardı.

3

Dükkânın pudra lekeli aynasında, elindeki derginin yapraklarını karıştıran adamı görüyordu. Konuşmaya katılmadan tıraş sırasını bekleyen bu adamın, ötekilerin anlattıklarını dinlediğini biliyordu. "Yoksa o da benim gibi kadını suçlu bulamıyor mu?" Berberle kalfasının saygılı saygılı 'Seyfi bey' dedikleri, öbür koltukta tıraş olan adam,

— Desene herif boynuzlunun biri, dedi.

— Boynuzlu sayılmaz. Çünkü durumu bilmiyor. Kadın oynaşını, o işteyken içeri alıyor. Öğle sonları. Saatlerce kalıyorlar. Kocası geldiğinde öteki gitmiş oluyor.

Berber, çenesine dokununca başını koltuğun arkalığına dayayıp tavana baktı. Sakallarını sabunlayan berberin yüzünü görmek istemiyordu. Kızıyordu ona. İkiyüzlülük; dalkavukluktu. "— Sokağın namusu var, değil mi Seyfi bey?" demişti. Koltuğa oturdu oturalı berber, kalfası, bir de Seyfi bey hep karşı apartmandaki, kocasını aldatan kadından söz ediyorlardı. Anladığına göre durum dünyada birçok benzeri olan çifte yaşayışlardan biriydi. Bu kadını onun da suçlandırması için sebepler vardı. Ama yapamıyordu. "En önemlisi kocasına söylememesi. 'Artık sevmiyorum seni. Bir başkası var, ayrılalım' dememesi. Gene de suçlu bulamıyordu onu. Bu işi bir tek erkekle yaptığı için mi? Kocası bıyıklı diye mi? Yoksa bu sokak namusundan, ahlâk düşüşünden söz edenlerle aynı kanıda olmamak için mi?" Tavandaki mavi abajurlu lambada bir sinek geziniyordu.

— Kocası pek yaşlı da değil. İki üç haftada bir bizde tıraş olur. İyi bir adam. İşinde gücünde, konuşkan.

Gözlerini kapadı. "Onun iyi adam olduğuna inanmıyorum. Onlar kalıplarının içinde rahat. Onlardan değilim ben." Bir türlü burnunun yakınından ayrılmayan eldeki ağır esans kokusunu duymamak için ağzından soluyordu. Ustura üst dudağında gezinirken canı yandı. Orası hep acırdı.

— Adama haber vermeli. İnsaniyet borcu bu.

— Doğru söylediniz ama, Seyfi bey, ya inanmazsa, "iftira ediyorsun" derse, namus davası açarsa?

Gözlerini açtı. "İnsaniyet borcu ha!" Sıra bekleyen adamla aynada göz göze geldiler. Adam dergiye eğildi.

— En iyisi ona göstermek. Bir gün adam öğle yemeğinden çıkınca dükkâna çağıracam. "Kardeşim, diyecem, sen şu ikinci katta oturuyorsun, değil mi? Bak, perdeler açık şimdi. Az sonra apartmana birisi girecek. (Boynundan havluyu aldı.) Senin oturduğun kata varınca karın perdeleri örtecek. (Önündeki lavaboda yüzünü yıkamaya başladı.) Beklersen, adam sokağa çıkar çıkmaz perdelerin yeniden açıldığını, karının onun arkasından baktığını göreceksin. İstersen perdeler kapandıktan sonra git, karını onunla suçüstü yakala." (Yüzünü kuruladı.) Saçlarınızı ıslatayım mı?

— Hayır.

Berber saçlarını tarayıp kolonya şişesine uzandı.

— İstemem, dedi.

Kalktı. Buradan çabuk çıkmak istiyordu. Parayı masanın üstüne bırakıp yürüdü. Gidip berberin neler yapacağını kadına söyleyecekti. Sokakta bir duvara dayanıp karşı apartmana baktı. İkinci katın perdeleri açıktı. "Şimdi kadın içerde, kocasıyladır. Hava nerdeyse kararacak. Belki dükkândaki konuşma herifin işten dönüp evine girdiğini gördüklerinde başlamıştır. Bugün söyleyemeyeceğim, ona. Yarın?" Sokağın yerini bellemek için çevresine bakındı. Önünden insanlar geçiyordu. Birden içini bir bezginlik kapladı. Söyleyecekti de ne olacaktı? Kadında da, erkekte de bir tedirginlik başlayacak, belki daha seyrek, başka yerlerde buluşacaklardı. Belki de korkarlar ayrılırlardı. Gerçekten sevişiyorlarsa işi oluruna bırakmaktı. Yakalanıncaya dek yaşarlardı ya! Caddeye doğru yürürken bir sigara yaktı. Yarın bu sokağa uğramayacaktı. Sırtında bir kaşıntı duydu. Ense tıraşı oldu mu yıkanmadan rahatlayamazdı. Namuslu berber, dedikodunun dalgınlığıyla, boynuna sardığı peşkiri iyi sıkıştırmamış olacaktı. Dünya berberlerle, Seyfi beylerle doluydu. "Ya sıra bekleyen adam? Hiç konuşmadı. Yoksa kadının sevgilisi miydi? Oysa yaman adammış doğrusu." Kuşkuluydu. İnsanların kimliği ilk bakışta anlaşılmıyordu. Gözlerinde böyle bir hassa olsun isterdi. O zaman aradığını aldanmadan, ne çabuk bulacaktı! Kim bilir onu kaç kere görmüştü de tanıyamamıştı. Onları anlamak için, doğruluklarından kuşkulanarak konuşmalarını dinlemek, davranışlarını görmek gerekti. Kişi, öyleyken bile aldanıyordu. Acaba insanların kimliğinde yanılmayan birisi var mıydı? Güler'le buluştukları pastanedeki garsonu hatırladı. Konuşmazdı. Çıkarlarken dolgun bahşişler bırakmış, ona bir "Güle güle" dedirtememişti. Her gelişinde içtiği portakal suyunu bir kere bile kendiliğinden getirmemişti. Garson onu biliyordu. "Yalnız beni mi? Güler'i de. Aramızdaki değişikliği fark edişi? O gün dörde katlı gazeteyi getirmemişti. Nasıl oluyor da biliyor? Bir püf noktası mı var bu işin? Gidip o garsonla konuşacağım. Ya gömleğimin yakasındaki kıllar? Sonra..." Yanından geçen tramvayın arkasından koşup atladı. İçerisi kalabalıktı. Girip çıkanların sürtünmesine aldırmıyordu. Garsonu düşünüyordu. Pastanede, Güler'le buluştukları masaya oturacaktı. Ondan gene portakal suyu isteyecek –"Belki o getirir"– işi bitinceye dek bekleyecekti. Garson onun neden geldiğini anlardı. İşini bitirince gelir masanın yanında durur, omuzuna dokunup. "Çıkalım," derdi. "Burada konuşamayız." Arka sokaklardaki basık meyhanelerden birinde konuşacaklardı.

Parmakkapı'da indi. Pastaneye girdiğinde o masa boştu. Eski yerine oturdu. Burası aylardır hiç değişmemişti. Duvar diplerinde aynı yeşil koltuklar vardı. Garsonun bu kere kendiliğinden getireceğini umduğu bir bardak portakal suyunu hayatında belki ilk defa kızmadan içecekti.

— Ne emredersiniz efendim?

Başını kaldırıp baktı. Birden sol şakağında, gözüne yakın o ağrı başladı. Karşısında kara papyonlu, yakışıklı bir garson, yüzünde yapma bir gülüşle ona bakıyordu. Yerinden kalkıp yürüdü. Demek sonunda patronun aklı başına gelmiş, ötekini atıp bu gerçek garsonu tutmuştu. Kapıdan çıkarken Sadık'la burun buruna geldiler.

— Vay! dedi Sadık. Sen sağ mısın be? İnsan bir gün uğrar yahu? Nereye böyle? Dön de biraz oturalım.

— Burda olmaz. Gel! (Kolunu tutup onu kaldırıma çekti.) Başka yere gidelim.

— Neden burda oturmuyoruz?

— İçerde o yok. Kovmuşlar.

— Kimi kovmuşlar?

— Eskiden burda adamın ne bokun soyu olduğunu anlayan bir garson vardı. Şimdi yok. Kovmuşlar.

Sadık güldü.

— Hep o eski kaçıksın, dedi. Seni döven terziler ne oldu? Daha arıyor musun?

— Onları Mirgün'de buldum. Ama bıyıksızdılar.

— Sonra?

— Kötü. Bırak şimdi onları. Gidip bir yerde içelim mi?

— Sinemaya gidecektim ben. Güzel bir film varmış.

— Yarın gece görürsün. Gel hadi. Hem biraz konuşuruz.

Girdikleri meyhanede şarap beklerlerken içinde bir sabırsızlık vardı. Denemişti: İki üç bardak içince sol şakağındaki ağrıyı pek duymuyordu. Sadık,

— Seni zayıflamışsın gibi gördüm, dedi.

— Öyledir. İştahım yok bu sıra.

Garson şişeyi, mezeleri bırakıp çekilince bardakları doldurdu. Neden çoğu geceler içtiğini söylemekten utanıyordu.

— Sende ne var ne yok? diye sordu.

Uzun zaman, arada içerek, onun anlattıklarını dinledi. Atölyedeki, evdeki güçlüklerden söz ediyordu. Bulunmayan boyalarla, geçim sıkıntılarıyla bir türlü ilgilenemiyordu. Sami'yi merak ediyordu.

— İşte böyle. Neden bu kadar hızlı içiyorsun?

— Şuramda bir ağrı var. Bir aydır yokluyor. Şarap içtikçe artacağına eksiliyor. Rahatlıyorum.

— Doktora göstermedin mi?

— Hayır.

— Göster bir kere.

— Olur. Sami'den ne haber? Biliyorsun, iş var o çocukta.

— Var.

— İnsanlara bakmasını biliyor. Büyük ressam olacak o.

— Evet.

Yüzünde bir gölgelenme görür gibi oldu. "Yoksa kıskanıyor mu?" Sadık bardağına uzandı.

— Sami son günlerde üzgün, dedi. Ablasına sinir buhranları geliyormuş.

— Evlensin, kurtulur.

— Üniversitede okuyor.

— İyi ya, bıraksın okumayı falan, evlensin. Kızlarda sinir buhranları başladı mı evlendirmeli. Evli kadında başlarsa boşandırmalı. Birebirdir.

— Hani sen genellemelerden iğrenirsin?

— Genelleme değil ki bu. 'Daraltma' bile denebilir.

Garsonu çağırıp bir şişe şarap daha istedi. Kalabalık meyhanede herkes bağıra bağıra konuşuyordu. Bardakları doldururken bir adam güldü. Yakınlarında birisi, '— İyi etmiş. Bal tutan parmağını yalar!' dedi. Arkasını işitemedi. Sadık sigara paketini ona uzatıp,

— Ya sen? diye sordu. Görmeyeli neler yapıyorsun?

Artık utanmıyordu. Söyleyebilirdi.

— Ben çoğu geceler içiyorum, dedi. Şakağımdaki ağrıyı duymamak için, iştah açmak için falan diyorum ama değil, biliyorum. Bir çeşit umutsuzluktan kurtulmak için içiyorum. Belki kendi kendimden. İki çeşit içen vardır. Biri, benim gibi, kurtuluşu içkiden beklemenin utancıyla içer. Bir de şu çevrendekilere bak. Bunlar neden içiyorlar? Toplum içinde yaşamanın baskısını, yükünü hafifletmek için. Çekinmeden bağırmak, yüksek sesle gülmek için. Dışarda bağırmak, kahkaha atmak yasaktır. Sokakta hiç gülmemek için burda gülerler. Böylesi az içer. Ya ben? İçiyorum da kurtulabiliyor muyum? Belki yalnız baş ağrısından...

— Ya içmediğin zamanlar?

— O zaman ararım.

— Hep arayacaksın sen. Ya resim, ya kitap...

— Tutamak sorunu. İnsanın bir tutamağı olmalı.

— Anlamadım.

— Tutamak sorunu dedim. Dünyada hepimiz sallantılı, korkuluksuz bir köprüde yürür gibiyiz. Tutunacak bir şey olmadı mı insan yuvarlanır. Tramvaylardaki tutamaklar gibi. Uzanır tutunurlar. Kimi zenginliğine tutunur; kimi müdürlüğüne; kimi işine, sanatına. Çocuklarına tutunanlar vardır. Herkes kendi tutamağının en iyi, en yüksek olduğuna inanır. Gülünçlüğünü fark etmez. Kağızman köylerinden birinde bir çift öküzüne tutunan bir adam tanıdım. Öküzleri besiliydi, pırıl pırıldı. Herkesin,

"— Veli ağanın öküzleri gibi öküz yoktur," demesini isterdi. Daha gülünçleri de vardır. Ben, toplumdaki değerlerin ikiyüzlülüğünü, sahteliğini, gülünçlüğünü göreli beri, gülünç olmayan tek tutamağı arıyorum: Gerçek sevgiyi! Bir kadın. Birbirimize yeteceğimiz, benimle birlik düşünen, duyan, seven bir kadın!

Sadık, başını sol eline dayamış önüne bakıyordu. Bu elin iki parmağı arasındaki sigaranın külü uzamış, az bükülmüş, nerdeyse altında duran yarı dolu şarap bardağına düşecekti.

— Sigaranın külünü silk, dedi.

Daha elini oynatırken kül, bardağın yanına düştü. Sadık eğildi; üfledi.

— Senin aradığın kadın dünyada yok, dedi.

— Var! O olmasaydı ben olmazdım. Bu şehirde yaşıyor. Bir gün bulacam onu.

— Bulamazsın. Öyle kadın olmaz.

Sigarasını attı. Bir şey söyleyecekken vazgeçti. Onu bu kadının varlığına inandıramazdı. Dayak yediği iki terziyi araması gerektiğini bile anlamamıştı. "Öyleyse neden kızıyorsun?" Sadık,

— İnsan bulabileceğini aramalı, dedi. Etli canlı bir kadın, bir kitap, bir resim! Ha, sergiyi gezdin mi?

— Hayır. Çoktan beri resim almıyorum.

— Demek Kemal'in son resmini görmedin?

— Ne? Kemal Fransa'dan döndü mü?

— Haberin yok muydu? Bir buçuk ay oluyor. Sergideki peysajı müthiş. Görsen yeniden resim almaya başlardın.

— Başına geçsin resmi! Sen bana ondan söz et. Nerede kalıyor? Eski atölyesinde mi?

— Değil. Ona yakın bir yerde.

Meyhanenin aşırı sıcaklığını sanki yeni fark ediyordu. Ensesini kaşıdı.

— Garson, hesabı getir! dedi.

Sadık,

— Ne var? Ne oluyor? diye sordu.

— Gidip Kemal'i göreceğiz.

— Bu vakit nerede buluruz onu? Atölyesinde yoktur.

— Olsun. Bir uğrarız.

Kalktılar. Dışarısı soğuktu. Pasajdan geçip, İngiliz elçiliğinin yanından aşağı yürüdüler. Az sonra Sadık,

— Vay canına! dedi. Pencereleri ışıklı. İşte şurası.

Bir kibrit çakıp kapıdaki dört düğmeyi aydınlattı. Parmağını en üsttekine bastı. Yukarı katta açılan pencereden bir baş sarktı.

— Kim o?

— Benim. Sadık! Yanımda seni görmek isteyen biri var. İn de kapıyı aç.

— Olmaz. Sarhoşsunuzdur.

— Yeşilaycı mısın be? Hadi uzatma, in aşağı.

— Yanındaki kim?

Sadığı dürtüp susturdu.

— Benim! dedi.

— Dur bakayım; yoksa sen misin C.?

— Tamam.

— Sen daha ölmemiş miydin?

— Hayır. Bilirsin, yarın ölecem ben.

— İyi, iyi. Anahtarı atıyorum.

Geçenler onlara bakıyorlardı. Sadık bağırdı:

— Tembel herif, kendin insene! Anahtar kırılır.

— Kırılmaz. Mendile sardım.

Mendil yanlarına düştü. Kapıyı Sadık açtı. Karanlık merdivenlerden kibrit çaka çaka çıktılar. Yukarda, atölyenin kapısından gelen ışıkta, Kemal'i iki yıldır değişmiş, yaşlanmış gibi gördü.

— Oh, oh! Sağ salim çıkabildiniz ha! diyordu.

Sarılıp öpüştüler. Çevresinde yazdan beri unuttuğu o yağlıboya, beziryağı kokusu vardı. Birden, buraya geldiği için bir pişmanlık duydu. Kemal,

— Neyse, şarap içmişsiniz, dedi. İşte yirminci yüzyılın ikinci yarısında bile tesadüfler oluyor. Gecenin bu erken saatinde benim burada bulunmam gibi. Gidip ben de içecektim ama vazgeçtim. Erken yatayım dedim. Yarın sabah sevgilimin karşısına ağrısız bir kafa, passız bir ağızla çıkmak istedim. Hadi, zarar yok, babamdan önce siz işitin: Yakında evleniyorum.

Sadık,

— Beter ol, dedi. Dilerim çocukların da olsun. Yaptığın yeni bir şey var mı?

Kemal duvardaki bir resmi gösterirken gülüyordu. Öteki yanlarından ayrılınca ona döndü.

— Otur, dedi. Bir buçuk aydır niye uğramadın bana?

— Döndüğünü bilmiyordum.

— Neler yapıyorsun? Anlat.

Masanın önündeki iskemlelere oturdular. İçinde gittikçe artan bir sıkıntıyla ona hâlâ içtiğini, hâlâ aylak olduğunu, hâlâ canı sıkıldığını, hâlâ aradığını yeniden anlattı. Kemal,

— Demek daha bulamadın? diye sordu.

— Öyle.

— Ben buldum.

— Fransa'da mı?

— Değil. Burda.

Sanki onun şakacı görünüşü ardında gizli ciddiliği sezmemiş gibi,

— Demek evleneceğin doğru, diye sordu.

— Evet.

— Kim bu kadın? Tanıyor muyum ben?

— Bilmem. O da ressam...

Sadık yanlarına gelmiş,

— Boyalarla aran nasıl? diyordu. Kolay bulabiliyor musun?

İkisi boyalardan söz ederken kalktı, duvardaki resmin önüne gitti. Öbür ucu görünmeyen bir köprü resmine benziyordu. Neye benzerse benzesin, umurunda değildi. Salt onların konuşmasından uzaklaşmak için gelip burda durmuştu. Dağınık atölye Kemal'in eski atölyesi gibiydi ama, sahibi değişmişti. Eskiden yanında olmaktan sıkılmadığı tek adamı, bundan böyle ne yapsa 'evlenebilecek bir insan' diye düşünmekten kendini alamayacaktı. Artık "— Paranı bilmem nerene sok" diyemezdi. Belki yakında ona, resimlerinden birini satın almadığı için kırılacaktı. "— O da ressam" demişti. "Acaba? Neden olmasın?" Ensesini kaşıdı. Onların konuşmalarını duyuyordu.

— Evlenince onunla karşı karşıya geçer, boyuna birbirinizin resmini yaparsınız.

Güldüler. Kemal,

— Bu olanaksız. Çünkü sevgilim insan resmi yapmıyor, dedi.

Sol eliyle şakağını oğuşturdu. Soluk filiz yeşili bir duvarda yan yana asılı, para vermeden edindiği o iki resmi hatırladı. Bir kadın, "— Bu çıplağı gerçek bir sanatçının yaptığı belli," demişti. Onları o duvara kendisi asmıştı. Ummadığı bir haksızlığa uğramış gibi içi kapkaraydı. Dönüp baktı. İkisi de neşeyle konuşuyorlardı. Rahattılar. Boyaları, resimleri vardı. "Onlardan değilim ben." Onu sanki unutmuştular. "Prusya mavisi, Kobalt mavisi" diyorlardı. "— Veronez yeşilinin sakıncası şu ki..." diyorlardı. Birden gene bir yere geç kalmış gibi yürüdü. Kapıyı açtı. Kemal,

— Nereye gidiyorsun? diye bağırdı.

— Başım ağrıyor, dedi. Eyvallah!

Kapıyı kapayıp merdivenlere doğru yürüdü.

(İçerde Sadık, Kemal,'in kolundan tuttu.

— Bırak gitsin, dedi.

— Ne oldu? Neden gitti?

— Tanımıyor musun onu? Hep eskisi gibi. Aklına esti mi basar gider. Sekiz aydır görünmüyordu. Bu akşam bir pastaneden çıkarken karşılaştık. Gidip biraz içtik. 'Korkuluksuz köprüden geçer gibiyiz,' diyor. Bütün değerlerini yitirmiş, dayanacak bir şey arıyor. Yakında büsbütün kaçırırsa şaşmam. İşte böyle. Paris'teyken hiç Léger ile konuştun mu?)

Dış kapıyı çarpıp çıktığı sokak tenhaydı. Şehirdekilerin çoğu şimdi ya yataklarında ya da yataklarına yakındılar. Caddeye doğru yürüyordu. Karşıdan gelen bir kadın onun uzağından dolaştı. Arkasından gitmedi. Biliyordu. Yanından hızla geçen taksiye baktı. İçinde oturan kadınla erkek sanki iki mankendiler. "Neden? Neden böylesiniz?" Olanla yetinerek, aramadan, düşünmeden yaşanılsın diye yaratılmış bir dünyada yalnızdı. Sırtı kaşınıyordu. Eve gidip yıkanacaktı.

4

Bir ara karıncaları düşündü. Yağmur dinince saklandıkları yerlerden çıkıp, tatlıcının tek parça, büyük camından gördüğü caddeleri dolduranlar, bir çalışma, didinme mutluluğu içinde yürür gibiydiler. Yarım saat önce girdiği bu tatlıcı dükkânından önündeki küçük alanda değneğini sallayan trafik polisini görünce, çok eskiden gene burada oturduğu bir günü hatırlamış; bir bardak portakal suyu içmiş; sağındaki karyağdı paltolu adamın baklava yediğini bilmekten gelen iç bulantısıyla –başkalarının iştahla yiyebilmeleri alçakça bir haksızlıktı– yağmur dinince çıkıp bir sinemaya gitmek kararını vermişti. Oysa şimdi karıncaları düşünüyordu. Sinemaya gitse, biliyordu, başının ağrısı artacak, içinde hep o bir yere geç kaldığı duygusu olacaktı. O yer belki de burasıydı. "Neden olmasın? Onu bu şehrin bir yerinde görmeyecek miyim? İşlerine çabuk varmak telaşındaki şu karınca sürüsünün arasına karışmaktan şaşırmış, neden bu camın önünden geçmesin?" Kulakları caddenin gürültüsüyle doluydu. İnsanların, taşıtların geliş gidişini yönelten trafik polisini, elindeki değnekle, bestecisi bilinmeyen bu kötü, sıkıcı senfoniyi çaldıran zevksiz bir orkestra şefine benzetti. Camın önünden geçecek ilk kadının arkasından gitmek niyetiyle hazırlandı. Elindeki izmariti attı; cebinden bir tek lira çıkarıp masaya koydu. Bir erkeğin kolunda Köprü'den yana geçen kadını görünce, kararını 'sağa, Tophane yönüne geçecek ilk kadının' diye düzeltti. O yana ilk geçen kadın yusyuvarlak, buruşuk bir kocakarıydı. Yumruklarını sıktı. Artık bu kadarı da fazlaydı. Yoksa yalnız onunla uğraşmaktan, başını ağrıtmaktan hoşlanın alaycı, korkunç, gizli bir varlığın oyuncağı mıydı? Kesin olarak bilemediği bir şeylere kızıyordu. İçinden sövdü. "Vız gelirsiniz bana. Alay edin bakalım. Hepinize inat, bigün bulacam onu." Camın önünden geçen bir kız yürürken başını çevirip ona değil, dükkânın içine doğru baktı. Bu gergin yüzü, bu ürkek mavi gözleri eskiden bir yerde görmüştü. Birden başının ağrısı kesildi. İçinde acayip bir sevinç, delice bir telaşla kalktı. Aradığı oydu. Başının ağrısını böyle kesiveren, portakal suyuyla birlik içtiği aspirin değil, onun yüzünü görmesiydi. Kapıdan hızla çıkıp açık mavi yağmurluğu görünce yavaşladı. Yirmi adım kadar önünde, arkasına bakmadan yürüyordu. Girip kolunu tutsa, '— Merhaba,' dese, belki başka bir söz bile söylemeden anlaşacaklardı. Belki yalnız, '— Sus, biliyorum,' diyecekti. Onun kolunu burada, karıncaların arasında değil, ilerde, tenha bir sokakta tutacaktı. Bilmediği o sokağa çabuk varmak istiyordu. Mavi yağmurluklu kızın koşmaya başladığını görünce şaşırdı. Duraktaki otobüse atlar atlamaz o da koştu, ama yetişemedi. Otobüs kalkmış gidiyordu. Koşarken,

— Heyy, dursana! diye bağırdı.

Geçenler ona bakıyorlardı. Bir adama çarptı; sonra birine daha... Gittikçe uzaklaşan otobüse yetişemeyeceğine inanamıyordu. Bunun bir yolu olmalıydı. Otobüs ilerde, başka taşıtların arasında kayboldu. İnsanların hızlı yaşadıkları bir çağda olduğunu neden unutmuştu? Soluk soluğa durdu. Ötekiler ona bakıyorlardı. Önünden geçen taksiye el salladı.

— Taksi!

İçi doluydu, durmadı. Otobüse yetişebilmek için bunlardan birini durdurması gerekti. Yolun ortasına çıkıp karşıdan hızla gelen taksiye iki kolunu da kaldırdı. Araba yavaşlayıp yanından geçmek niyetiyle sağa kırınca önüne koştu. Bir kadın bağırdı. Taksi durdu. Kapıyı açıp dışarı çıkan şoföre yaklaşırken arkada oturan adamın sıkıntılı, kızgın gözlerini gördü. Belki işine giden bir komisyoncuydu. Şoför,

— İtoğlu, dedi. Canına mı susadın?

— Beni otobü...

Göğsüne inen yumrukla sendeledi. Önce şaşırdı, sonra içinde kabaran bir öfkeyle şoförün suratına vurdu. Adam elleriyle yüzünü kapayıp ıslak taşlara kıvrıldı. Parmakları kanlıydı. Çevresini yavaş yavaş otomobil kornalı, tramvay çanlı, insan sesli bir gürültüdür kapladı.

— Burnu kırılmış, diyorlardı.

— Bayılmış.

— Burnu kırılmış!

Birisi kolunu tuttu.

— Ne var, ne oldu? diye sordu.

Baktı, bir polisti. Taksideki adam,

— Ben gördüm, dedi. Kabahat onda. Arabanın önüne geçip durdurdu. Üstelik şoföre vurdu.

Çevresindeki herkes ona düşmanca bakıyordu. Kuşatılmıştı. Artık otobüse yetişmesi olanaksızdı. Birden sol şakağındaki ağrı yeniden başladı. Yıllardır aradığını bulur bulmaz yitirmesine sebep olan bu saçma, alaycı düzene boyun eğmiş gibi kendini koyverdi. Şimdi ona istediklerini yapabilirlerdi. Yanındaki polis kolunu sarsıp, ummadığı yumuşak bir sesle sordu:

— Ne oldu? Anlat.

— Otobüse yetişecektim...

Sustu. Konuşmak gereksizdi. Bundan sonra kimseye ondan söz etmeyecekti. Biliyordu; anlamazlardı.

Gilbert Adair
Şenlikli Bir Cinayet
Tahir Alangu
Kediler Padişahı
Keloğlan Masalları
Billur Köşk Masalları
Ömer Seyfettin - Ülkücü Bir Yazarın Romanı
Edmondo de Amicis
İstanbul
Martin Amis
Londra'da Bir Park
Görüş Evi
Kate Atkinson
Çarkıfelek
Emre Aracı
Naum Tiyatrosu
Özdemir Asaf
Kırılmadık Birşey Kalmadı
Dokuza Kadar On - Seçme Şiirler
Necla Aytür
Kitaplar Arasında
Talât Aydemir
Hatıratım
Julia Bachstein (der.)
Kedi Hikâyeleri
Honoré de Balzac
Lanetli Çocuk
Selçuk Baran
Bozkır Çiçekleri
Porselen Bebek
Bir Solgun Adam
Nevsâl Baylas
Dansa Âşık Bir Kuğu: Meriç Sümen
Dionysios Byzantion
Boğaziçi'nde Bir Gezinti
Patrick Absalon - Frédérik Canard
Ejderhalar -
İnsanlar Diyarında Canavarlar
Carlo Collodi
Pinokyo'nun Maceraları -
Bir Kuklanın Hikâyesi
Büyümüş de Küçülmüş
Faruk Nafiz Çamlıbel
Akın
Ayşegül Çelik
Kâğıt Gemiler
Adnan Çelikoğlu
Bir Darbeci Subayın Anıları -
27 Mayıs Öncesi ve Sonrası
Ramis Dara
Sofralara Geldi Bahar
Christopher Dell
Canavarlar Garip Yaratıklar Kitabı
M. Uğur Derman (haz.)
Edebi ve Hattı ile Ali Alparslan
Güney Dinç
Aydınlığa Mektuplar (1928-1937)
Michael Dobbs
Geceyarısına Bir Kala
Hervé Drévillon, Pierre Lagrane
Nostradamus - Sonsuz Döngü
Metin Eloğlu
İçli Dışlı - Yazılar, Söyleşiler,
Soruşturmalar
İstanbullu
Nedircik Yavrusu - Seçme Şiirler
Hasan Ersel (haz.)
Sözden Müziğe: Şairler ve Bestecileri
(Salı Toplantıları-2009)
Birsen Ferahlı
O Yaz...
Janet Frame
Baykuşlar Öterken
Juan Goytisolo
Yasak Bölge
Münir Göle
Yol Durumu
Yırtık - Yas Üçlemesi
Yansılar Kitabı
David Guterson
Öteki
Doğan Hızlan
Edebiyatımıza Dipnotlar
Seyit Ali Kahraman (haz.)
Evliyâ Çelebi Seyahatnâmesi'nden
Seçmeler
Yücel Kayıran
Kritiğin Toprağında -
Türk Şiirine Felsefeyle Bakmak
Yaşar Kemal
Binbir Çiçekli Bahçe
Yolda - Seçme Öyküler
Bugünlerde Bahar İndi

YAPI KREDİ YAYINLARI / SEÇMELER

Atilla Kıyat
Üç Yıldız Bir Penaltı
Kenneth F. Kiple
Gezgin Şölen -
Gıda Küreselleşmesinin On Bin Yılı
Cemil Koçak (haz.)
27 Mayıs Bakanlar Kurulu Tutanakları (2 cilt)
Agota Kristof
Büyük Defter • Kanıt • Üçüncü Yalan
Erdem Kurtuldu (haz. ve çev.)
Klasik Çin Şiirinden Seçmeler
Onat Kutlar
İshak – özel baskı
Karameke
Sinema Bir Şenliktir
Unutulmuş Kent
John Macken
Kirli Küçük Yalanlar
Sir Thomas Malory
Kral Arthur
(Merlin ve Yuvarlak Masa Şövalyeleri)
Nezihe Meriç
Zor Yokuşu - Seçme Şiirler
Mark Mazower
Karanlık Kıta: Avrupa'nın Yirminci Yüzyılı
Ziver Öktem (haz.)
İstiklâl Harbimizde İttihat ve Terakki
ve Enver Paşa
Filiz Özdem
Düş Hırkası
Yalan Sureleri
Kitap Kurtları İçin Hayvanlar Âlemi -
Doğadaki Dostlarımız
Yeryüzünden Binbir Efsane - Bakır Dağlar,
Kör Kuyular, Büyülü Kuşlar
Pascal Picq
Meraklısına Darwin
Marcel Proust
Kayıp Zamanın İzinde (2 cilt, Delta)
Aleksandr Sergeyeviç Puşkin
Ruslan ve Ludmila
Hubert Reeves
Atomlara ve Galaksilere İlişkin Yazılar
Paul Ricœur
Zaman ve Anlatı 2-Tarih ve Anlatı
Eleştiri ve İnanç - F. Azouvi ve
M. de Launay ile Söyleşi
Matt Ridley
Kızıl Kraliçe
Stella Rimington
Kaçak Avı
Gizli Ajan
M. Ertuğrul Saraçbaşı
Örnekleriyle Büyük Deyimler Sözlüğü (2 cilt)
Oliver Sacks
Migren
Daniel L. Schacter
Belleğin İzinde - Beyin, Zihin ve Geçmiş
Ömer Seyfettin
Türkçe Reçete - Seçme Öyküler
Mine Söğüt
Madam Arthur Bey ve Hayatındaki Her Şey
Jean Starobinski
Eleştriel İlişki
Didem Şenol
Kızınız Defneyi, Oğlumuz İskorpite...
Ertuğ Uçar
Dünyayı Seyretmek İçin Bir Yer
Gülten Uğurlu
"Hayat Dersi" Kaya Kaynar ve Dünyası
Turgut Uyar
Korkulu Ustalık
"Yitiksiz" (Kitaplarına Girmemiş Şiirleri)
Alper Uygur
Bizim Korsanlar - Akdeniz'i Köpürten
Osmanlı Leventleri
Yemeğe Kurt Gibi Saldırılır mı? -
Çocuklar İçin Görgü
Serhat Uyurkulak
Sesini Aramayan Şiir
İsmail Hakkı Uzunçarşılı
Osmanlı Tarihinden Portreler -
Seçme Makaleler I
Artun Ünsal
Bezgin Martı ve Çılgın Kelebek
Susamlı Halkanın Tılsımı
Solomon Volkov
Büyülü Koro - Lev Tolstoy'dan
Aleksandr Soljenitsin'e
XX. Yüzyıl Rus Kültür Tarihi
Şiir Erkök Yılmaz
İncir Çekirdeği Yanığı